YAKUZA

Juan Carlos Giraldo

YAKUZA

LA MAFIA JAPONESA
Y LA TRATA DE BLANCAS

AGUILAR

AGUILAR

© 2003, Juan Carlos Giraldo

© De esta edición:
2003, Distribuidora y Editora Aguilar, Altea, Taurus, Alfaguara, S.A.
Calle 80 No. 10-23
Teléfono 635 12 00
Bogotá, Colombia

• Aguilar, Altea, Taurus, Alfaguara, S.A.
Beazley 3860. 1437, Buenos Aires
• Santillana Ediciones Generales, S.L.
Torrelaguna, 60. 28043, Madrid
• Aguilar, Altea, Taurus, Alfaguara, S.A. de C.V.
Avenida Universidad 767. Colonia del Valle
03100 México, D.F.

ISBN: 958-704-066-X
Impreso en Colombia

Ilustración de cubierta: Alexander Rojas

Primera edición, abril de 2003
Segunda reimpresión, abril de 2004
Tercera reimpresión, septiembre de 2004
Cuarta reimpresión, enero de 2005

Contenido

Presentación

A Claudia nunca le vi el rostro: no lo permitió. Sin embargo, aunque sólo hablamos dos veces, creo que sé más de ella que sus propios padres, sus amigos, sus novios o compañeros de farra en Pereira. La conocí tanto que aprendí a quererla. Por ratos sentía que la odiaba por lo que hizo, pero al final la comprendí y me inspiró ternura. A través de ella supe de las otras, las que se fueron por un tiempo al Japón para después volver, de las que no se marcharon, de las que retornaron a su país para quedarse, de las que malgastaron en amantes sus fortunas hechas con sudor en los teatros del placer. Conocí a sus hijos abandonados por años, a los padres que alardeaban de los «viajes de negocios» que hacían sus hijas, a los vecinos de la cuadra que miraban con envidia la casa más «cachezuda» del barrio. Y claro, a sus clientes, a sus jefes yakuzas y a los cobradores callejeros. Claudia me habló una vez por teléfono y otra con un trapo que cubría su rostro, horas antes de regresar por segunda vez a Japón. Me explicó que le daba pena que la conociera. Suponía que yo ya sabía de sus secretos, de sus trabajos en las noches niponas, de los vejámenes a que estaba acostumbrada, de los placeres que vendía y de las exigencias de sus clientes. Ella, que se ufanaba de ser una dama en Colombia, no podía permitir que un periodista supiera el verdadero color de sus ojos y de su pelo.

Su historia, igual que la de Donny, la de Anny, la de Stella, la de cientos de mujeres que han caído en las redes de la prostitución, está contada aquí, en este prontuario de jóvenes encarceladas por la Yakuza, la mafia japonesa que llenó las calles de sus principales ciudades con muchachas colombianas.

Ésta es la radiografía de la Yakuza misma, de sus jefes, sus contactos y sus enlaces. Pero también es la radiografía de una cruel realidad que en Colombia, así como en muchos otros países, no tiene un castigo superior a la simple sentencia por falsedad, y que el sistema judicial japonés apenas toca de manera tangencial, al juzgar a los involucrados en dicho delito por evasión de impuestos o por infringir leyes monetarias.

Es un mal tan grave como el mismo narcotráfico, pero más lucrativo. Por fortuna han comenzado a surgir voces que piden mayores penas para los criminales implicados. Un seminario internacional sobre el tema, celebrado en Bogotá a finales de marzo de 2003, concluyó que el problema es más grave de lo que se piensa. Según el fiscal general de Colombia, Luis Camilo Osorio, «la trata de personas, el tráfico de armas y el tráfico de drogas, son los tres principales negocios de la mafia internacional. Generan recursos anuales superiores a los siete billones de dólares». En América Latina Colombia es la segunda nación más afectada por este flagelo después de Brasil.

Las investigaciones, no obstante, son pocas: algo más de doscientos procesos que no han llevado a más de siete personas a juicio. Si se tiene en cuenta que un solo miembro de la Yacuza ha prostituido a más de cuatrocientas colombianas, las cifras concernientes a las investigaciones resultan risibles. Aparte de la inoperancia judicial, Colombia es víctima de la falta de cooperación internacional, incluso del gobierno japonés en este caso.

Las autoridades no saben con certeza cómo funciona la Yakuza por dentro. Para escribir este libro conté con la colaboración periodística del reportero judicial Paco Morales, quien me puso en contacto con el único colombiano que se logró infiltrar en la Yakuza, trabajó para ella en Japón y luego regresó a Colombia con el propósito de enrolar mujeres que luego enviaría a sus jefes. Este hombre se llama Miguel Ángel, y su relato es la columna vertebral de la presente historia. Una historia que parece ficción, pero que en realidad sólo es el reflejo de lo que pasa en las calles niponas donde se concentra la prostitución.

Juan Carlos Giraldo

Miguel Ángel y las mujeres del ventilador

Cuando Donny regresó a la *kakuya* —la habitación donde dormía—, eran casi las doce de la noche. Kenji Sato había sido su último *okeakusan* o cliente de la jornada. De las manos de este ejecutivo de ventas de una multinacional de electrodomésticos había recibido el mejor *chipo* o propina de la noche: 10 mil yenes, unos 100 dólares estadounidenses. No tuvo que esforzar demasiado sus elementales matemáticas para convertir esta suma a pesos colombianos. Era mucha plata.

Donny estrenaba ese día una tanga roja. De baja estatura pero torneada, a sus 29 años parecía mucho menor para quienes se fijaban en su mirada de adolescente pícara y vivaz, que contrastaba con la protuberancia de sus pechos erguidos. Quizás era éste el atractivo físico que más contribuía a su éxito en el campo en el que ahora se ganaba la vida. Pero para los japoneses, más excitante aún que sus senos y el rosado color de sus pezones, era la sensualidad con que realizaba el *beto*, la exhibición previa con la que seducía a los clientes y con la cual conseguía que en lugar de otras colombianas, chilenas, japonesas o filipinas, la eligieran a ella para gozar los 15 minutos de sexo que le significaban 4.000 yenes.

Apenas llevaba tres días en Kagoshima, ciudad ubicada al sur del país, más exactamente en Kyūshū, una de las cuatro grandes islas continentales que, vistas en el mapa, forman un caballito de mar: Hokkaidō, Honshū, donde se encuentra la capital, Tokio, y Shikoku.

La mayor atracción de Kagoshima deriva de su ubicación a la orilla del mar. En cualquier época del año este puerto es visitado por turistas nacionales y extranjeros, provenientes por lo general de las pequeñas islas vecinas. Allí se puede llegar en aviones con capacidad para 30 pasajeros desde los dos aeropuertos de Tokio; el viaje dura apenas 50 minutos.

El día en que llegó por primera vez, Donny tomó el tren local de la JR, Japan Railway, que en 15 minutos la dejó cerca del número 8-18 de la zona postal 892, donde funciona el Kagoshima Kokusai Music, su sitio de trabajo.

En la ciudad abundan los teatros de cine y los locales que ofrecen placer sexual, conocidos como *guekillos*. El Kokusai Music es el más visitado por los clientes japoneses, quizás porque cuenta con el mayor número de mujeres extranjeras, en especial colombianas.

Donny había sido enviada allí por su *kos*, el jefe yakuza encargado de programar lo que en el mundo de la prostitución japonesa se conoce como *toka*, es decir, el período de 10 días continuos de trabajo en un sitio determinado.

Los *guekillos* son teatros con un escenario especialmente diseñado y una rampa similar a una pasarela que, levantada sobre las hileras de las sillas, permite a las mujeres mostrarse ante los clientes a escasos centímetros de sus rostros. Para los espectadores, ésta resulta una estratégica ubicación, pues así pueden contemplar sin obstáculo alguno los diferentes tipos de exhibición: el *tachi*, el *beto*, el *irepón*, la *jomba* y la «polaroid». Son prácticas de entretenimiento visual erótico creadas por los japoneses para alimentar su lujuria antes de abocarse al sexo pleno.

El show también permite a los visitantes escoger a la mujer que mejor realice un juego erótico.

En el *beto*, por ejemplo, Donny acabó por convertirse en la más avezada bailarina. Con el paso de las horas, la expectativa sexual va creciendo y el ambiente se torna más intenso. La música y la ansiedad de los asistentes se confunden mientras el lugar y el momento se van convirtiendo en una insólita subasta: las mujeres desnudas exhiben sus cuerpos al mejor postor y los hombres se dan a la tarea de comprar fichas marcadas con un número de turno y esperan ser llamados para disfrutar de lo que han pagado.

Muchos clientes repiten dos y hasta tres veces este ritual de obtener fichas para recomenzar el acto con las mismas mujeres. Para ellos es una manera de adquirir prestigio sexual y fama de buenos amantes o, en algunos casos, para conseguir sexo por amor y no por dinero. Para ellas es simplemente una manera de aumentar sus ingresos.

Antes de ir al Lejano Oriente, Donny no creía las historias que escuchaba de boca de sus amigas sobre las colombianas que en una sola noche sostenían relaciones sexuales con cerca de cuarenta hombres a cambio de dinero. Pensaba que eran habladurías. «Fantasías y exageraciones para que yo no vaya», se repetía cada vez que en Pereira le hablaban del tema. Ni su cuerpo, ni sus principios, ni su moral, ni su asco se lo habrían permitido. Y así, con esa certeza y los escrúpulos intactos, había aterrizado en la mañana del 10 de enero de 1995 en el aeropuerto de Narita, en la capital japonesa.

En el teatro de Kagoshima, un hombre mal vestido hacía las veces de maestro de ceremonias. Con micrófono en mano iba llamando a los clientes según el turno adquirido. «Bango Wa Ni-yu-go, número 25», se oyó por los parlantes. Donny esperó. Era Sato, el último de la noche. Se sintió agradecida ante la cercanía del descanso. Con él alcanzaría el increíble récord como prostituta en Japón: 38 clientes en una misma jornada de trabajo. Y apenas habían pasado tres meses desde su llegada a ese país.

Ahora, frente al rectángulo del espejo que cubría la pared de su *kakuya*, Donny estaba comprobando que la tarea de sostener relaciones con tantos hombres en una jornada de 12 horas no sólo era posible sino aparentemente fácil. Descubrió que apenas necesitaba de un cuerpo bien cuidado a base de cremas, tener los senos grandes y firmes, contar con la sensualidad suficiente para cautivar a los clientes durante el *beto* y, sin duda, una fogosidad a prueba de todo en la cama. Lo demás llegaría por añadidura.

Frente al espejo, lloró. Y mientras el maquillaje resbalaba junto con sus lágrimas, buscó en el ne-
ceser el tubo de Canestén, el ungüento que periódicamente su familia le enviaba desde Colombia.
En el clóset guardaba el ventilador, a un lado del
fotón enrollado —una especie de colchón relleno de
algodón.

En esos tres meses Donny había acumulado lo
que para ella resultaba una inimaginable fortuna:
18 mil dólares, unos 36 millones de pesos colombianos que jamás habría conseguido en Pereira, donde trabajaba en un almacén de fotografía por un
salario de 250 mil pesos mensuales.

Lloraba por muchas razones. Por la soledad en
medio de tantos hombres clandestinos e indiferentes que la frecuentaban sólo por sexo, por la leja-
nía de sus seres queridos, y un poco también porque
creía haber mancillado sus principios. Pensaba que,
a pesar del dinero acumulado, había tocado el piso
de una indecencia que jamás pensó merecer. Pero
también sentía satisfacción por el deber cumplido.
Estaba consiguiendo el objetivo para el que había
viajado desde tan lejos: ya no era la muchachita pobre e indefensa detrás del mostrador de un pequeño local, y su familia había dejado de ser la más

discreta del barrio Berlín de Pereira. Al día siguiente, desde el Banco de Tokio, enviaría el sexto giro de 3.000 dólares a su casa en Colombia.

Mientras invocaba imágenes de su pasado, el espectáculo del sexo continuaba en el teatro. Su *kakuya* estaba ubicada en la parte trasera superior de la edificación. Desde allí podía escuchar con claridad el sonido de la canción que casi siempre escogían para la más esperada de las funciones, y con la que prácticamente se cerraba el programa nocturno.

El *shirokuro,* como lo llamaban los japoneses, es sexo en pareja mezclado con ritos eróticos, bailes occidentales y orientales y mímica. Miguel Ángel era el protagonista central de este acto que ejecutaba con destreza. Nacido en Medellín y egresado de la facultad de Derecho de una universidad bogotana, había llegado a convertirse en toda una leyenda del submundo y la vida nocturna clandestina japonesa. En muchos de los *guekillos* o teatros del país, era el más cotizado de los extranjeros. Se le consideraba un artista del sexo-espectáculo. Durante media hora continua, la presentación del colombiano consistía en sostener una relación sexual que incluía veintidós posiciones diferentes con una misma mujer, al ritmo de la música sensual de moda y frente a los ojos de libidinosos visitantes que abarrotaban las sillas del lugar.

Aquella noche, Miguel Ángel terminó su último espectáculo a las doce y cuarenta. Desnudo y todavía con el sudor en la frente, subió las escaleras hacia su *kakuya* para guardar los billetes de las propinas y el vestuario utilizado durante la presentación. Lo siguiente era el baño en el *ofuro*, una tina llena de agua caliente con sales aromáticas; una buena manera de relajar el cuerpo y descansar los músculos y huesos sobreexpuestos a un trabajo excesivo. Cuando cruzó frente a la *kakuya* de Donny, ella estaba recién salida del baño. La vio acomodando algunas cosas y sacando del clóset el ventilador y el *fotón* para desenrollarlo. Lo saludó, lo invitó a entrar y le pasó un cojín para que la acompañara un rato mientras conversaban sobre sus experiencias.

Hacía tres días se habían conocido, cuando ambos fueron dispuestos para la misma *toka* o jornada laboral. Fue pura coincidencia, pues cada cual tenía su propio *kos* o jefe yakuza. A ella le llamó la atención porque era el único latino que hacía este tipo de trabajo, y además era colombiano. Antes de destacarse en el *shirokuro*, Miguel Ángel había ejercido la prostitución masculina en otras ciudades japonesas.

Intrigada por el antiguo empleo de su compatriota, le pidió que le contara detalles de las mujeres que lo buscaban en las discotecas donde había ofrecido sus atenciones sexuales. Él acercó el cojín y le dio un beso en la mejilla. La notó muy cansada. Donny echó el cuerpo hacia atrás sobre el *fotón* y le pidió que, mientras relataba sus peripecias, le acomodara el ventilador en dirección hacia su vagina desnuda. Él sabía lo que ella pretendía. El aire frío y directo del ventilador en su máxima velocidad era la única forma de aliviar la irritación causada por la excesiva práctica sexual. Donny tomó el tubo de crema que le habían enviado desde Colombia, con la que además de aliviar en algo el dolor por el maltrato, evitaba posibles infecciones. No era la primera vez que Miguel Ángel, desde que se desempeñaba en los teatros, veía a una colombiana someterse a semejante rito. Más que asombro, sintió tristeza.

La humilde muchacha había sido contactada en Pereira por alias Antonio, un japonés que llevaba varios años viajando a Colombia para reclutar mujeres hermosas y jóvenes con el fin de llevarlas a su país para que trabajaran en la prostitución. Antonio era el más importante jefe de la Yakuza nipona en el área de la trata de mujeres. Ingresaba a Japón mujeres de Europa y América, pero sentía especial atracción por las colombianas. Cuando Donny arribó en una de las llamadas «promociones» de Antonio, sus colaboradores más allegados le atribuían el ingreso de más de seiscientas colombianas, todas empleadas en el oficio.

Con el paso de los años, el jefe yakuza conocería a Miguel Ángel en los prostíbulos y discotecas de Tokio y en sus shows de *shirokuro* en los teatros. Lo contrató primero para espectáculos privados, y luego lo convirtió en su hombre de confianza en Colombia. Para ello, debió regresar al país con la encomienda de contactar mujeres en diferentes ciudades, especialmente del eje cafetero y del Valle del Cauca. Las enviaba a Japón, no sin antes explicarles en qué consistía la labor y hacerles ver cómo, cuándo y dónde iban a ejercer la prostitución.

La siguiente es la historia del hombre que trabajó para la Yakuza en las principales ciudades del Japón, y luego, durante varios años, se dedicó a enviar a ese país el mayor número de prostitutas colombianas de que se tenga noticia en todos los tiempos. La forma como las escogían, las maniobras para cambiar sus documentos e identidades, las rutas utilizadas y el drama humano detrás de cada caso son revelados por primera vez en este estremecedor documento periodístico, basado en el relato del colombiano que se infiltró en la mafia japonesa del tráfico de mujeres. Sus revelaciones nos presentan, de manera explícita, una realidad cruel y desgarradora, desconocida incluso por las autoridades.

Empezando con el pie izquierdo

Miguel Ángel viajó a Japón el 9 de mayo de 1992. Lo hizo gracias a Diana, una mujer que conoció en Bogotá en una noche de farra y licor. Ambos trenzaron una especial relación de amistad que con el paso de los días les permitiría compartir secretos de sus vivencias anteriores. Las de él como litigante, empleado de una oficina de cobros jurídicos, y la de ella como prostituta en Japón. Diana había regresado a Colombia seis meses atrás, en plan de vacaciones, con el propósito de visitar a sus familiares en la capital. Cuando se encontró con Miguel Ángel, ya era poco el dinero que le quedaba de todo lo ahorrado en sus trabajos nocturnos en los teatros y bares de Tokio. Fue ella quien por primera vez le habló del sueño americano en versión japonesa. Le expuso la posibilidad de ganar buen dinero y le contó de los contactos que ella tenía con gente de la mafia que manejaba la prostitución en el Lejano Oriente.

Aunque él ya había escuchado hablar de las posibilidades económicas que ofrecía Japón, lo que más le llamó la atención esta vez fue la oferta de tener un lugar seguro adonde llegar. En efecto, Miguel Ángel ya había trabajado en negocios oscuros en Europa, especialmente en Alemania, donde se había desempeñado como vendedor de frutas exóticas colombianas y distribuidor de esmeraldas que sacaba de contrabando desde el aeropuerto de Bogotá. En este último negocio había conocido portugueses, marroquíes, turcos, yugoslavos e italianos que se movían con facilidad en el comercio de productos ilícitos en varios países de Europa central.

Por eso, cuando volvió a sentir la necesidad de buscar nuevos rumbos fuera de Colombia, la idea de viajar a Japón no le cayó mal. Diana le ofrecía la comodidad de un techo mientras lo contactaba con sus amigos para que trabajara. No lo pensó mucho. Lo único que lo atormentaba era la idea de dejar a su pequeño hijo de siete años, quien por entonces vivía en Bucaramanga y conformaba, con su mamá, el hogar por el que se había propuesto llegar muy lejos. Japón aparecía entonces como una buena posibilidad de conseguir dinero para los gastos del pequeño y su madre, e incluso como un buen país para llevárselos, debido a las oportunidades que ofrecía para progresar y estudiar.

De los cerca de 40 millones de pesos con los que había llegado ocho meses atrás, a Diana ya no le quedaba dinero suficiente ni para el tiquete de regreso a Japón. Fue precisamente Miguel Ángel quien le prestó 600 mil pesos para que acabara de cubrir el valor del pasaje. «Cuando llegues a Matsudo, te los devuelvo, o si quieres te los consigno», le prometió ella antes de viajar. «Me los devuelves allá», le respondió Miguel Ángel, dejando claro que ya había tomado la decisión de encaminar sus ilusiones y sus esperanzas hacia el Japón.

Con 2.000 dólares en el bolsillo, una maleta con ropa para seis meses y un libro sobre cultura japonesa, llegó al aeropuerto Narita de Tokio en la primaveral mañana del 10 de mayo de 1992. Después de 20 horas de viaje y otras dos de trámites migratorios y requisas interminables, se encontraba por fin a bordo de un taxi rumbo a Matsudo.

Comenzaba a sentir el rigor de la extenuante ruta que lo había llevado desde Bogotá a México, y de allí a Miami, Los Ángeles, Hawai y Seúl. Aun así, disfrutaba de la vista que le llegaba a través de las ventanas del vehículo que lo condujo sobre grandes avenidas y lo paseó por paisajes naturales que lo impresionaron por su conservación y limpieza. Había imaginado que Matsudo quedaba cerca del aeropuerto y la capital. Pero estaba equivocado. Sintió entonces el primer latigazo de la primiparada que comete cualquier nuevo visitante en Japón: la cuenta del taxi ascendió a 45 mil yenes, unos 450 dólares, casi un millón de pesos colombianos.

Pero lo terrible estaba por llegar. Diana nunca apareció en la dirección que días antes le había anotado en un papelito en Bogotá, cuando prometió esperarlo y colaborarle con la estadía en Japón. No sólo no vivía en el edificio que le había indicado, sino que nadie la conocía en el lugar. Y el inglés que manejaba Miguel Ángel tampoco jugaba en su favor. En medio de aquella selva humana habitada por entes extraños e indiferentes, se sentía todavía más frustrado cuando hablaba y nadie le entendía. Meses más tarde comprendió que el inglés que habla el común de los japoneses, el «popular», es una simpática distorsión que resulta de la combinación de palabras anglosajonas con la pronunciación propia del *nijongo*, el idioma japonés.

La primera noche durmió en un hotel supuestamente «muy barato», según le dijo un hombre que lo guió. Más solo que nunca, triste y preocupado, se vio en la necesidad de alojarse allí dos semanas con la incertidumbre de quedarse sin un dólar y asumiendo el riesgo de empezar a aguantar hambre. Como medida preventiva, desde entonces se sometió a una dieta de frutas para mantenerse en forma y economizar. El hotel «barato» tenía una tarifa de 10 mil yenes, unos 100 dólares por noche.

Desde las nueve de la mañana frecuentaba un parque cercano situado en un área de centros comerciales y supermercados. En el centro del parque habían instaladas seis cabinas telefónicas. En el día, ese parque le traía recuerdos del parque Berrío de Medellín, y en las noches, de la plaza de Lourdes, en Bogotá. Alrededor de las cabinas siempre veía a extranjeros que, después comprobaría, en su mayoría eran iraníes. *Iranjin*, como les dicen los japoneses. Miguel Ángel pasaba allí 12 horas, sentado en un escaño viendo a la gente caminar y observando con mayor atención las filas de iraníes que continuamente se acercaban a los teléfonos. Guardaba la esperanza de descubrir en medio del tumulto a algún hombre de aspecto latino, o quizás, si tenía suerte, a un colombiano.

Una mujer le llamó mucho la atención. De baja estatura, rasgos indígenas y cabello lacio teñido, tenía unos 24 años y sin lugar a dudas era latina. El quinto día decidió hablarle, pero ella no quiso responderle. Miguel Ángel intuyó que su reserva estaba motivada más por el temor que por un rasgo de timidez, cosa que comprobaría después, cuando la mujer, al cabo de tanta insistencia y ruegos, le confesó que era novia de un iraní celoso y cruel que la golpearía si la descubría hablando con un extraño.

Maritza era peruana y había llegado a Japón para trabajar en una compañía empacadora de comidas rápidas, donde había conocido al iraní. Miguel Ángel no podía perder la oportunidad de hablar con la primera persona que le respondió en español, quizás la única que podía ponerlo en contacto con otros latinos o colombianos. Se hicieron amigos. Después ambos tomarían un tren rumbo a Roppongi, una ciudad del tamaño de Medellín que tenía el especial atractivo de ser la sede de una base militar de los Estados Unidos. Los bares, discotecas y prostíbulos le daban un especial ambiente de rumba, tenía una vida nocturna agitada y era frecuentada por extranjeros de todos los continentes.

En varios de los bares y discotecas, Miguel Ángel descubrió mujeres que, según dedujo por las fotografías pegadas en los exhibidores de cada lugar, donde aparecían vestidas con trajes sensuales e insinuantes, eran colombianas. Sin embargo, no pudo hablar con ninguna: le fue imposible ingresar debido al costoso *cover* de entrada. Así que regresaron a Matsudo. Otra vez lo esperaba la rutina del parque. A la peruana volvió a verla tres días después, cuando le entregó una tarjeta donde aparecía el teléfono de una mujer colombiana que residía allí. Ése sería el día más importante y trascendental para Miguel Ángel, pues le abriría las puertas a la nueva vida que le esperaba en Japón. Esa tarjeta lo introduciría en el mundo de la prostitución y posteriormente en el espinoso sendero de la trata de blancas.

Elizabeth era el nombre de esta caleña de 36 años, casada con un ingeniero japonés. A esta hermosa y alegre mujer, dotada con el encanto de su tierra natal, la vio por primera vez en un restaurante cercano al hotel donde se hospedaba, luego de concertar telefónicamente una cita. Llegó acompañada de una amiga, también compatriota. Doce días después de haber tocado tierra japonesa y del rigor de la obligada dieta de frutas, Miguel Ángel probó comida de sal. El *bara-sushi* es un plato cotidiano en Japón, un tipo de *sushi* de arroz con caldo de *shiitakes* frescos —una especie de hongos muy diferentes y más grandes que los champiñones—, camarones fritos, langostinos gigantes, *tofú* frito, tortilla cortada en julianas y chauchas cocidas, similares a la vaina de las arvejas; todo esto aderezado con vinagre de arroz.

Mientras comía, les relató a las mujeres el drama que estaba viviendo y les planteó la urgencia de encontrar un contacto para trabajar en lo que fuera, pues ya casi no le quedaba dinero. Les habló del lote de esmeraldas que había traído de Colombia. Japón era todavía un magnífico mercado para las esmeraldas colombianas, y estas dos mujeres conocían japoneses a los que podía interesarles el negocio. Para darles mayor confianza, les entregó las 36 piedras preciosas con la promesa de que se hablarían después.

Así fue. El esposo de Elizabeth llevó las piedras a un amigo joyero que ofreció por ellas 360 dólares. El precio era tan irrisorio que Miguel Ángel no aceptó. A través de la caleña, sin embargo, llegaría al templo católico de Yotsuya, frecuentado por colombianos, filipinos y japoneses, donde todos los domingos en las mañanas la misa se imparte en cuatro idiomas.

En ese templo vivió la primera gran alegría de su aventura en Japón. Al salir de la iglesia se encontró con Giovanni, un antiguo empleado suyo en Medellín. Para ambos el momento resultó tan inesperado como feliz. Mientras lloraban abrazados durante varios minutos, Miguel creyó haber encontrado por fin el camino de su futuro en esa lejana tierra, que hasta ese momento sólo le había brindado sinsabores. Ese mismo día viajaron a Hinoshi, pequeña localidad situada a 40 minutos de Tokio. Con todo y su pesado equipaje, Miguel Ángel se instaló en el mismo lugar en el que su amigo vivía con otros cuatro colombianos, en el segundo piso del edificio donde operaba la empresa para la que todos laboraban. Era una habitación de unos cuatro metros cuadrados, con un pequeño baño y una cocineta en la que apenas cabían el *resoko* o nevera y la estufa eléctrica de dos puestos. No había lugar para un equipo de sonido, algo muy vital para un latino, pero en cambio había una lavadora, accesorio indispensable en cualquier hogar del Japón.

La decencia no es mi profesión

La idea de Giovanni era ubicar a su amigo lo más pronto posible en su mismo trabajo. Miguel Ángel debió permanecer escondido una semana para que el *sacho*, o jefe, no lo descubriera. En muchos lugares de Japón, los patrones acostumbran cobrarles a sus empleados extranjeros, especialmente si son ilegales, un elevado arriendo. En este caso, el costo era de 50 mil yenes mensuales. Es decir, por este grupo de colombianos el *sacho* se quedaba con 250 mil yenes, más 100 mil de un impuesto que supuestamente se entregaba al gobierno. En promedio, restando estos descuentos, cada colombiano recibía apenas 130 mil de los 200 mil yenes que devengaba como mensualidad. De este dinero sacaban para la alimentación, la ropa, las llamadas a Colombia y el inevitable giro a sus familias.

Pasado este período de clandestinidad, Miguel Ángel fue contratado gracias a los ruegos de sus amigos al *sacho*. La labor no era muy atractiva: armar andamios para reparar edificios. Este oficio es conocido como *guemba*. Pocos días necesitó para saber que la empresa de construcción en la que empezaba a trabajar pertenecía a la mafia japonesa. Su *sacho* era en realidad un jefe yakuza. Sus amigos le explicarían después que esto era algo muy común en Japón, donde la mayoría de los grandes negocios de construcción es manejada por estos capos.

La primera semana de trabajo resultó muy dura, pues Miguel Ángel no estaba acostumbrado al esfuerzo físico. Pero la posibilidad de recibir el primer sueldo lo animaba. La jornada era de ocho horas y media y había varios turnos: de siete a diez de la mañana; de diez y media a doce; de una a tres de la tarde y de tres y media a cinco y media de la tarde. En las noches cocinaba para sus compañeros, les lavaba la ropa y planchaba, para cancelarles el primer arriendo que ellos le pagaron.

Le extrañó que sus amigos dedicaran todo su tiempo a trabajar y dormir y nunca salieran a la calle a pasear, a tomarse unos tragos o divertirse con las mujeres. Una mañana, antes de comenzar la jornada, les preguntó y ellos le respondieron que todos compartían una misma mujer. Sonrieron, y él pensó que se trataba de una broma. Una noche la descubrió: una muñeca inflable muy bien acomodada en la tina del baño. Sin ningún asomo de vergüenza, los cinco hombres explicaron que ésta era la mejor manera de ahorrar dinero. Así habían logrado juntar una buena cantidad de yenes en los dos años que llevaban viviendo en Japón. Ese día juró que nunca buscaría los servicios de la silenciosa novia común de sus amigos. «En menos de un mes encontraré una mujer de carne y hueso», les sentenció.

En principio se hacía entender en inglés y por señas, pero pronto empezó a captar más y más palabras del idioma japonés. Así, poco a poco se fue ganando el respeto de compañeros y patrones, primero por su manera de hablar y trabajar, y segundo por la dureza que demostraba a la hora de reclamar sus derechos o de exigir igualdad para él y sus amigos; de hecho, se convirtió en el líder del grupo de latinos que laboraba allí. Algo más lo distinguía: era el único que salía a caminar en las noches para explorar la población.

Pero la fuerza de carácter que demostraba de nada le sirvió a la hora de ser estafado. La primera vez ocurrió cuando recibió su sueldo. Giró a su familia el equivalente a 700 dólares, pero al parecer el dinero quedó en Colombia en manos de empleados de la empresa aérea encargada de los correos;

a su familia sólo le llegó el paquete con un muñeco para su hijo. La segunda vez cayó con Gina, una amiga colombiana que se ofreció para enviar el dinero a través de un sistema seguro. Miguel Ángel le creyó, pues se trataba de una prostituta que entonces ya era millonaria. La mujer se quedó con el dinero, según comprobaría una semana después cuando hizo una llamada a la madre de su hijo. Ese día tomó la decisión de no volver a trabajar decentemente en Japón.

Recordó que alguien le había hablado de una discoteca-restaurante que funcionaba en Shinjuku, uno de los sectores de Tokio de ambiente más pesado en materia de rumba, prostitución, droga y licor. El Son Latino pertenecía a Henry, un hawaiano que se movía en cualquier tipo de negocio ilícito, desde la prostitución de latinas hasta la venta de cocaína, marihuana y cristal. El sitio era atendido por colombianos. Su especialidad era la música tropical y la comida y el aguardiente de su país.

Miguel Ángel llegó sabiendo que encontraría algo que hacer allí. Aunque estaba buscando rumba y licor, también sabía que podría encontrar empleo en cualquier cosa. Los 10 mil yenes que llevaba en el bolsillo le impedían pedir trago o llamar a alguna de las mujeres del lugar. Las colombianas que lo vieron lo sacaron a bailar, le dieron trago gratis y se lo llevaron a dormir. Para ellas era carne fresca, y Miguel no dudó en dejarse atender. Una de ellas, la llanera Bibiana, le aconsejó no trabajar más en la *guemba*. Ella hablaría con unos amigos suyos japoneses metidos en toda clase de negocios para que lo emplearan en algo. Mientras tanto, le permitieron quedarse en el apartamento donde ellas vivían, un sitio mucho más confortable que el anterior.

Él les ayudaba preparando la comida y haciendo oficios domésticos. Pero en realidad lo que la llanera buscaba era tenerlo siempre a su lado y disfrutar del calor de su compañía, especialmente en las madrugadas, cuando regresaba de ejercer la prostitución. Miguel Ángel era un joven de 28 años, medía 1,75 metros de estatura, su piel era blanca bronceada, su cuerpo atlético y su cabello castaño. Pero lo que en verdad cautivaba a las mujeres que lo recibieron en su hogar era la amabilidad que irradiaba de su sonrisa ancha y sincera. Para Bibiana, más que el sexo con sentimientos que él podía ofrecerle, muy diferente del que recibía de sus clientes, valían los buenos consejos y las frases de esperanza con los que la aguardaba despierto para dormirla como si se tratara de una huérfana.

Las mujeres le pagaban en efectivo por algunas gestiones que les hacía en el día. Se convirtió en su mensajero y era quien les compraba los artículos de primera necesidad.

Con algún dinero ahorrado y un trabajo de medio tiempo en un hotel, encontró un nuevo sitio para comenzar a vivir independientemente. Sus amigas seguirían visitándolo.

Una oferta tentadora

Bibiana, la llanera, le habló por primera vez de la posibilidad de desempeñarse como *hosto*, es decir, como prostituto en una discoteca. Diana's Disco estaba ubicada en Chiba, a 45 minutos de donde se estaba hospedando. El sitio pertenecía a la esposa de un jefe yakuza coreano y la paga incluía hospedaje allí mismo y un buen porcentaje de lo que lograra recaudar entre las clientas de la noche. La discoteca era asediada especialmente por japonesas y coreanas. En principio, la propuesta de su amiga no le gustó.

—Déjame pensarlo, hermana, porque eso debe ser muy verraco —le dijo.

Al cabo de dos semanas, la mujer volvió a tentarlo con la idea, esta vez con el argumento de que trabajaría al lado de otro colombiano.

—Tú, con esa pinta de italiano que tienes, te puedes sacar hasta 600 dólares diarios —le insistió—. En dos años te podrías largar de este país. Además, aquí nadie te conoce.

Aceptó conocer el lugar y hablar con el administrador, un coreano conocido con el alias de Che. Simpatizaron de inmediato. El oriental le propuso comenzar ese mismo día.

La jornada iniciaba a las siete de la noche y terminaba a las seis de la mañana. Tenía que ser muy complaciente y amable, y tratar a todas las visitantes por igual, sin importar la edad ni la apariencia física. Como pedido especial, le recomendaron perfeccionar rápidamente el idioma, para alternar sus atenciones a las clientas con actuaciones cantadas.

Esa noche asistió, pero no para trabajar. Quería conocer a los prostitutos con los que alternaría. Además de Luis —el otro colombiano—, allí trabajaban once filipinos. El lugar era confortable y contaba con el servicio de discoteca, karaoke y restaurante. Las mujeres buscaban a los hombres, bebían y bailaban con ellos y al cabo de unas horas se los llevaban para los hoteles más cercanos. Los 50 mil yenes que cobraban por sus servicios sexuales eran ganancia, pues al dueño sólo le interesaba el consumo de alimentos y de bebidas como el *dohan*, un licor especial de la casa, o el coñac Hennessy que las damas consumían hasta el amanecer.

Esa noche, antes de despedirse, el Che le recomendó comprar ropa sencilla pero elegante: pantalón, saco y camisa con corbata de colores alegres. También le pidió que se afeitara el bigote para lograr una apariencia más juvenil. «Haga todo lo posible para alegrarlas», puntualizó.

Al día siguiente, a las seis y treinta estaba listo. Acompañó a Luis para observar su actuación y para que le sirviera de traductor con las primeras damas que llegaron. Tres japonesas entre 27 y 34 años se acomodaron en una mesa, y Luis lo llevó hasta ellas. Lo presentó como un nuevo compañero, y Miguel Ángel pasó apuros por el idioma. Se reía de todos los apuntes sin saber qué le decían, y entre un inglés no muy fluido y señas con las manos, se las arregló para pasar las horas. La primera noche fue una velada de tragos y bailes. Recibió la primera propina: 5.000 yenes.

La relación con sus compañeros filipinos fue distante desde el principio, y a Miguel Ángel le parecieron bastante raros, con tendencias homosexuales. Pocas veces se los veía salir hacia los hoteles, pero a juzgar por las carcajadas de las mujeres, resultaban muy amenos por los apuntes graciosos con los que alternaban el baile y el licor. Hablaban muy bien el español y el japonés.

Así transcurrieron las primeras semanas, durante las cuales no tuvo una sola relación sexual. La comunicación con las clientas dificultaba el flirteo. Por eso, aprovechaba cualquier momento para enriquecer su vocabulario y descubrir el uso de las palabras y frases más claves y apropiadas. En dos meses ya se sentía capaz de sostener una conversación y de entender los juegos de coqueteos previos al sexo. Se le facilitaba más la comunicación con las coreanas, que aparentaban ser más extrovertidas y lanzadas que las japonesas. Además, aceptaban con mayor facilidad las caricias y las insinuaciones directas de Miguel Ángel. Por ahora, seguía viviendo de las propinas y el salario fijo mensual. Pero no era suficiente. Se sintió fracasado. Entendió que ya era hora de empezar a ganar dinero en cantidades más grandes. Si no daba el paso siguiente, su futuro en su nuevo trabajo estaba en riesgo.

Una dama solitaria te busca

Miguel Ángel se había fijado en una coreana de buen aspecto, de unos 40 años, que llevaba tres días visitando el negocio. Todos la saludaban con especial atención, y los filipinos la llamaban *mama san*, algo así como «señora mamá». Luis le explicó que así se les decía a las dueñas de *omisés*, negocios de prostitución y bebidas alcohólicas. Uno de los filipinos que la atendía le explicó a Miguel Ángel que la *mama san* quería que estuviera en la mesa con ella.

Fue la primera vez que se atrevió a poner en práctica el japonés que había aprendido. Hablaron de asuntos personales. Ella le pidió que la atendiera siempre. En esa oportunidad le obsequió 10 mil yenes por la compañía. Dos días después, en visible estado de embriaguez, llegó directamente a buscarlo. Ni la insistencia de los filipinos logró que cambiara sus planes: quería acostarse con Miguel Ángel. El colombiano le pidió 50 mil yenes y ella, sin reparo alguno, se lo llevó a un hotel.

Miguel Ángel estaba nervioso ante su inminente debut como prostituto. Quiso manejar la situación preguntándole por sus gustos y fantasías sexuales, pero ella sólo le pidió que «trabajara» rápido, pues debía regresar a casa antes de dos horas. Fue una relación normal. Para impresionarla, por ser su primera clienta, Miguel Ángel trató de parecer más afectivo y cariñoso; de paso, así marcaría una diferencia respecto de los amantes orientales que ella había tenido. La mujer le confesó que nunca antes había estado con un *gaijin*, como se les dice a los hombres venidos de Occidente. Descubrió en ella un ser solitario y falto de afecto. Cuando visitaba el bar parecía un payaso de circo que ríe para deleitar al público, mientras por dentro es devorado por la melancolía.

Mirándola desnuda, tirada a lo largo de la cama, descubrió en su espalda la impresión de un hermoso tatuaje de colores vivos. Un pez verde, azul y rojo dominaba la superficie de su dorso, desde la base del cuello hasta el comienzo de su *derrière*. A un lado del dibujo se apreciaba el rostro de un hombre oriental con expresión demoniaca, y en el otro extremo, la cara de un dragón. Ella le contó que su esposo había pagado más de 10 mil dólares por esa rara obra de arte en su cuerpo. En ese momento le reveló sin tapujos que era la mujer de un importante miembro de la mafia japonesa. «Ore-wa Mou, Yakuza desu» («Yo también soy yakuza»), le notificó a Miguel Ángel, quien impresionado no terminaba de admirar la exactitud de aquellos trazos que parecían darle vida a la mirada inquietante del demonio oriental y a los mismos animales plasmados sobre la piel.

Miguel Ángel regresó a la Diana's Disco con la idea de dormir placenteramente, como no había podido hacerlo desde hacía varios días. Con el paso del tiempo, acostumbraría su cuerpo a atender a varias clientas en una misma jornada.

La mujer yakuza seguiría frecuentándolo. A veces lo visitaba sólo para llevarle regalos; otras, por más placer. Su amistad con ella le sirvió para conocer ciertos secretos de los negocios de la mafia, para entender su modo de actuar y para saber cómo estaba conformada la estructura de la organización. Por ella supo que además de los jefes supremos hay niveles de mando conocidos como *sachos*, *buchós*, *tenchos* y *shimpiras*. Cada uno de ellos cumple una función específica dentro de la red. Claro está que la *mama san* apenas le contaba lo más elemental de la organización. Sólo con el paso de los años Miguel Ángel iría descubriendo que existen otros rangos y otras derivaciones de esa complicada, secreta y antigua mafia oriental.

La mujer le advirtió que de esos grados de mando que acababa de describirle, el más peligroso era el de los *shimpiras*, personajes que conforman el estrato más bajo y violento de la organización. Son los encargados del trabajo sucio callejero, quienes

cobran las cuotas y los chantajes a los comercian-
tes, castigan a los que incumplen en los pagos, y en
fin, siembran el terror entre quienes no aceptan las
imposiciones de la organización. Aquellos individuos le hicieron recordar a los sicarios de los carte-
les de la droga de Medellín. Al igual que ellos, los
shimpiras son gente del bajo mundo que quiere es-
calar dentro de la estructura mafiosa, y para lograr
el aprecio y la atención de los capos recurren a exhibiciones de incondicionalidad que para las víctimas
suelen traducirse en represalias sanguinarias. En
adelante tendría siempre presente esta adverten-
cia. Desde entonces comenzó a prepararse para el
que sería su primer encuentro con alguno de estos
temidos peones de la Yakuza.

Las cosas marchaban muy bien. Al cabo de tres
meses, la clientela de Miguel Ángel había aumen-
tado de manera considerable, y además, varios de
los filipinos del lugar habían sido reemplazados por
más colombianos. Luis había contratado a dos muchachos de Armenia y a uno de Bogotá, y Miguel
Ángel había llevado a su amigo Giovanni, el mismo de la fábrica donde seis meses atrás había in-
tentado dedicarse a algo decente.

La fama de los amantes colombianos se exten-
dió no sólo por Chiba, sino que alcanzó bares, dis-

cotecas y prostíbulos de Tokio y Nagoya. A estas ciudades la noticia llegó a través de prostitutas colombianas que empezaron a visitar el negocio donde sus compatriotas eran los putos más buscados de la región. Para ellas era algo raro, pues en Colombia la prostitución masculina seguía siendo un tabú. Mientras ellas ganaban entre 20 mil o 25 mil yenes por cliente en la calle, ellos cobraban el doble y no tenían que salir a buscar fuera del bar. Además, las mujeres debían enfrentar ciertos riesgos, como las constantes rondas de los *shimpiras*, que periódicamente pasaban recogiendo el pago de cuotas por permitirles trabajar en determinado espacio de la calle, y las batidas que periódicamente hacía la policía de Inmigración. Si se salvaban de una reprimenda física de los *shimpiras* cuando no pagaban el chantaje, podían caer en manos de los oficiales, que en cuestión de días las deportaban a Colombia.

Con el tiempo, Miguel Ángel entendió que pasarían muchos meses antes de regresar a su país. La madre de su hijo se había llevado al pequeño para Alemania de manera ilegal. Así las cosas, prácticamente no tenía motivos para regresar. Por eso, todo el dinero que recibía se lo gastaba. Gracias al afecto que le habían tomado sus patrones, ahora era el líder del grupo de trabajadores sexuales del negocio. Además, con Alfredo y Óscar, era uno de los más cotizados. Su apariencia de gigoló, su buen humor y su temperamento lo hacían sobresalir. Su presencia se hizo casi indispensable en las mesas más concurridas.

Un enigmático oriental

A los nueve meses de trabajar en la Diana's Disco conoció al hombre que años más tarde lo convertiría en el primer y único colombiano aceptado como miembro de la Yakuza japonesa. Le decían *Antonio*, pero en realidad se llamaba Katzutoshi Takazaki. De estatura media, cabello negro, ojos más grandes que los del hombre promedio japonés, mirada amable y bigote, llegó al lugar acompañado de catorce mujeres: trece jovencitas y una señora de 55 años. A su ingreso, todos los empleados y mujeres que desde las mesas lo reconocieron, lo saludaron solemnemente. Su presencia irradiaba respeto y temor. Miguel Ángel era de los pocos que no lo conocían. Un sombrero blanco estilo aguadeño le daba un aire de caballista colombiano, y su lento y seguro caminar por ratos lo hacía parecer un cantante latino que se alista para salir al escenario.

Con Alfredo y Óscar, Miguel Ángel atendió la mesa de los recién llegados. El hombre del sombrero blanco lo saludó como si ya lo conociera y le pidió el trago más caro. Luego lo invitó a que lo acompañara en su mesa, al lado del séquito de las catorce mujeres, todas ellas colombianas. No pasó mucho rato antes de que le pidiera que no atendiera a otros clientes y que se dedicara exclusivamente a él y a sus amigas. Miguel Ángel aceptó con agrado, pues era una buena oportunidad para hablar español y recordar cosas de su país. Una excelente ocasión, además, para recibir una gran propina, dada la apariencia de hombre amplio, generoso y formal del visitante.

Una a una, las mujeres se fueron presentando. Eunice era la más veterana del grupo. Saltaba a la vista que era la encargada de cuidar a las jóvenes que la acompañaban. Era una versión colombiana de la *mama san*. Casi de inmediato, Miguel Ángel se convirtió en el personaje central del grupo. En realidad, aquellas mujeres eran prostitutas que laboraban bajo la batuta del enigmático hombre. Las había traído de Colombia y, según contrato verbal, debían pagarle un alto porcentaje del dinero obtenido por los servicios sexuales que prestaban en diferentes establecimientos del Japón. Estas jóvenes se ganaban la vida trabajando en las calles, en los bares conocidos como *omisés*, en los *pinkos* —sitios especialmente concebidos para la masturbación y el sexo oral—, en los *guekillos* y en las llamadas «oficinas del sexo», una especie de servicio a domicilio. En el país del sol naciente a estas prostitutas se las conoce como las *talentos*.

Las colombianas se mostraron muy amistosas con Miguel Ángel y sus dos amigos. Con el paso de las horas, y al amparo del licor y la droga, la reunión tomó ribetes de lujuria. Intrigadas, ellas les pedían a los muchachos que les hablaran de su trabajo como prostitutos del lugar, y hasta les prometieron que en otra oportunidad regresarían para probar el novedoso servicio sexual. En ese momento, así lo quisieran, sólo habrían podido irse a la cama con alguno de ellos si contaban con la autorización de su jefe, el extraño Antonio. Y él no lo permitió. Para él, ellas eran generadoras de ingresos, no de egresos.

Ya de madrugada, las cinco botellas de Hennessy, la cocaína y la marihuana consumidas hasta el momento habían cumplido su cometido. Antonio, sin embargo, seguía incólume, quizás por el constante consumo de droga, que cortaba los efectos del alcohol. Tomó a Miguel Ángel del brazo y lo llevó hasta el baño.

—Señor, necesito un favor muy especial de usted —le dijo acorralándolo contra la pared. Miguel Ángel asintió sin vacilaciones, creyendo que se trataba de una solicitud para que le comprara más droga. Pero no. La sorpresa fue mayúscula cuando, mirándolo fijo a los ojos, le dijo—: Eunice, la mujer mayor que me acompaña, quiere acostarse con usted.

El colombiano no podía dar crédito al insólito pedido. Sin miedo, le respondió que no:

—Yo no me acuesto con ancianas, y menos con ésa, que tiene como 60 años. Sería un desprestigio para mí ante la gente de la discoteca.

Antonio, seguramente preparado para escuchar esa respuesta, le recordó que eso hacía parte de su trabajo y que, como cualquier profesional, tenía que cumplir con sus obligaciones. De hecho, amenazó con pedirle autorización al Che, su patrón. Además, le mostró siete billetes de 10 mil yenes y le prometió cubrir los gastos de transporte de ida y regreso al hotel y, por supuesto, el pago de la habitación. No convencido del todo, Miguel Ángel le pidió que le dejara considerar la propuesta, y regresaron a la mesa. Más que en su prestigio, Miguel Ángel pensaba en la vergüenza que se llevaría ante las otras mujeres si se enteraban del episodio. Sin duda, sería blanco de burlas.

Dos horas después, con el dinero en el bolsillo, Miguel Ángel se alistaba para abordar el carro que Antonio mandó pedir. Había aceptado, entre otras razones, porque Antonio le prometió que más adelante le pagaría con creces ese favor. Pero la principal razón fue la certeza de que estaba ante un verdadero jefe yakuza que manejaba el negocio de las mujeres y de quien algún día podría necesitar. Negarse a su pedido equivalía a conseguirse un potencial enemigo, que por lo demás parecía muy poderoso en el Japón. Antes de despedirse, el japonés le aclaró:

—Y tranquilo, que las muchachas no lo van a saber.

Fue una situación muy molesta para el apuesto joven, que se ufanaba de despreciar a algunas jóvenes y hermosas coreanas que merodeaban la discoteca, y a japonesas que le ofrecían un poco más que la propina acostumbrada. De todas maneras, cumplió. Se ganó, eso sí, un problema laboral, porque en adelante todas las noches la mujer iba a buscarlo a su sitio de trabajo, adonde llegaba en sano juicio y de donde salía casi a rastras por el licor que consumía a borbollones. Le pidió que se casaran, le prometió mantenerlo por el resto de su vida, y hasta le ofreció todo el sueldo que se ganaba como cuidadora de las prostitutas de Antonio. Con el paso de los días, la situación se tornó tan inmanejable que el jefe yakuza se enteró. La despidió y la regresó a Cali, su ciudad natal.

De este episodio surgió una cordial amistad entre Miguel Ángel y Antonio, que con el paso del tiempo se fortalecería y los llevaría a entablar una relación de tipo profesional. Cada vez que se encontraban en discotecas o bares, Antonio le regalaba jugosos *chipos*, propinas de hasta 200 dólares. Siempre le expresaba su admiración y resaltaba su profesionalismo en el campo de la prostitución. Pronto el japonés llegaría a considerarlo el único colombiano digno de toda su confianza.

El ritmo en la discoteca continuó como siempre, hasta que un día otro colombiano lo contactó para que trabajara como actor en una película producida por la NHK, una de las más grandes compañías de cine y televisión de Japón. Requerían de un hombre joven que personificara a un soldado portugués. Tenía que viajar hasta Roppongi, la agitada ciudad en la que ya había estado un año atrás, cuando, recién llegado al país, intentaba contactar colombianos para conseguir trabajo. Pasó el *casting* sin problemas y fue trasladado a un lugar campestre de Sendai, ciudad escogida para el rodaje de la cinta. Durante 10 días fue tratado como toda una estrella, pues los desprevenidos japoneses que se acercaban a las locaciones de grabación creían que se trataba de una importante contratación extranjera traída desde algún país de Europa.

Miguel Ángel sonreía cada vez que los habitantes del lugar se acercaban a pedirle autógrafos, o simplemente a tocarlo y tomarse fotos con él. Pero en realidad, este colombiano indocumentado e ilegal, prostituto de profesión, sólo sería utilizado 10 días para actuar en seis escenas. De todas formas ganó 1.600 dólares y una invitación de primera clase a la gran premier. *Goemón*, se estrenó con toda la parafernalia digna de cualquier cinta taquillera de Hollywood, y Miguel Ángel se convirtió en el primer colombiano registrado en el reparto de una clásica película de ninjas y samuráis.

Fornicando ante El Papa

Luego de su fugaz paso por el mundo del celuloide, regresó al papel de prostituto en la Diana's

Disco. Las clientas lo esperaban. Una colombiana que frecuentaba el lugar lo aguardaba con especial interés. Claudia había escuchado que Miguel Ángel estaba trabajando como actor, y por eso le pareció la persona ideal para que asumiera un nuevo rol. La mujer estaba bajo las órdenes de un mafioso conocido como Yamazaki *san*, un típico *kos* encargado de ubicar mujeres en diferentes negocios de prostitución, especialmente en los *guekillos* o teatros del placer.

Yamazaki era un escurridizo miembro de la Yakuza que había ganado prestigio en el círculo de jefes de la mafia por los excelentes contactos a través de los cuales conseguía las más hermosas mujeres. Por Claudia se había enterado del papel que Miguel Ángel desempeñaba en la discoteca, y ahora, de sus aptitudes histriónicas. Yamazaki quería conocerlo de inmediato.

Claudia lo contactó de inmediato. Fue directo al grano:

—¿Tú eres capaz de jalarle al sexo en público? —le preguntó.

—¿Cuánto me voy a ganar? —respondió él.

La mujer no le habló de cifras, pero pudo observar en él un gran interés ante el ofrecimiento, y así se lo hizo saber a Yamazaki *san*, quien de inmediato lo citó. La idea era que se encontraran al día siguiente en el Lara, un *guekillo* pequeño distante unos 20 minutos de su sitio se trabajo. El teatro Lara era de propiedad de un mafioso apodado El Papa, famoso por su agresiva personalidad cuando estaba bajo los efectos de la droga. Todos los días consumía cocaína cristalizada o, a falta de ésta, se inyectaba heroína. Las colombianas que conformaban su equipo eran quienes más sufrían las consecuencias de sus alucinaciones. A veces les pegaba con bates de béisbol, otras las emprendía a puntapiés contra ellas. Al otro día, en sano juicio, se disculpaba simplemente diciéndoles: «Loquito *dakara*» («Porque estoy loco»).

Las mujeres del Papa sentían impresión y repugnancia cada vez que él mostraba sus manos, en las que faltaban los dedos meñiques. Como para justificar las golpizas que les propinaba, les contaba una y otra vez que él también había sido víctima de la violencia. Se refería a la forma como los jefes yakuzas castigan a sus subalternos por una falta grave o una traición: les ordenan que ellos mismos se corten un dedo con una pequeña y afilada daga en medio de una estremecedora ceremonia que termina con la entrega del miembro cercenado al jefe. Es una señal de respeto y obediencia.

Miguel Ángel llegó puntual a las nueve de la noche. El japonés ya lo esperaba. En cuanto lo vio llegar, lo llevó a un restaurante típico contiguo al teatro. Pequeño, de pelo negro brillante, con un bigote bien cuidado y amable al hablar, Yamazaki parecía un transeúnte más. Cualquier cosa, menos el *kos* yakuza que rigurosamente planeaba y ejecutaba cada 10 días la distribución y ubicación en todo Japón de las decenas de colombianas que llegaban para dedicarse a la prostitución.

Junto a ellos se sentaron otros tres japoneses y tres muchachas colombianas. Sin muchos preámbulos, Yamazaki le consultó si estaba listo para demostrarle sus capacidades en lo que llamó «arte del sexo en público». La pregunta fue tan directa que Miguel Ángel sintió temor y algo de vergüenza. Sin embargo, le dijo que sí. Lo que no sospechaba era que Yamazaki pretendía que la demostración fuera inmediata y en ese mismo lugar. Sólo entonces miró a su alrededor y descubrió con horror que en el sitio se encontraban unas doce personas muy cómodamente sentadas en cojines sobre el *tatami*, una estera que hace las veces de enchape del piso. El mafioso se dirigió a una de las colombianas que lo acompañaban y le ordenó que se desnudara para que sirviera de pareja en el show.

—Así, ¿delante de toda esta gente? —preguntó Miguel Ángel.

—Sí, ya. ¿Puede o no puede? —le dijo El Papa.

Miguel Ángel se desnudó y la mujer se acomodó boca arriba en el piso, al lado de la mesa. La mirada acosadora de los espectadores lo intimidó. Por un momento no se sintió capaz de tener una erección rápida y completa, como lo esperaban Yamazaki y sus acompañantes. Su compañera entendió la situación y, sin ningún pudor, lo ayudó con caricias y besos en sus partes íntimas. Bastaron pocos minutos para que Miguel Ángel asumiera el control de la situación, y de forma casi mecánica le hizo el amor. Fue una relación fría, corta y elemental. De todas maneras, sirvió para que pasara su primer examen ante el público.

El *kos* yakuza se declaró satisfecho, aunque advirtió que no había sido lo mejor ni lo que esperaba ver. Sin embargo, reconoció el atrevimiento del hombre y sus ganas de cumplir bien con su nueva ocupación. Lo importante, le aclaró, era haber logrado una erección rápida en medio de la presión.

Le explicó que un buen dominio del cerebro y una plena concentración mental le facilitarían las cosas para que sus futuros encuentros sexuales en público tuviesen una duración no menor de 20 minutos, ojalá de 30. Pero no se trataba sólo de sostener una relación durante ese lapso. El verdadero «arte» estaba en desarrollar durante esa media hora entre dieciocho y veintidós posiciones diferentes, de tal manera que mantuviera despierta la lujuria en los espectadores.

Dada la experiencia que Miguel Ángel había conseguido trabajando en la prostitución, aquella tarea no le pareció imposible. Con una buena alimentación rica en proteínas y frutos del mar, su capacidad sexual no lo traicionaría; de eso estaba seguro. Pero lo complicado del asunto, le explicó Yamazaki, consistía en desarrollar todas las posiciones manteniendo la erección. Por ningún motivo su miembro viril debía desfallecer. De ocurrir, el espectáculo sería un fracaso. Los asistentes al show lo tenían bien claro. Por eso pagaban 5.000 yenes por entrada, unos 50 dólares.

—Éste es el famoso *shirokuro* —le explicó Yamazaki.

En realidad, es el espectáculo de sexo en público más llamativo que se ofrece en los teatros del placer japoneses. Para muchos, hace parte de la cultura del país. Quizás no estén equivocados: de hecho es una práctica que comenzó casi un siglo atrás. Desde sus inicios hasta hoy, hace parte de la *jomba*, un concurso dentro de un teatro que comienza con el juego del *jan ken pon*, el cual consiste en la rápida pronunciación de palabras y gesticulaciones con las manos. El único ganador recibe como premio el contacto sexual con una mujer frente a sus contendientes y, claro está, ante la vista de todos los asistentes.

La *jomba* culmina en la relación sexual entre el ganador y la mujer que el propietario del lugar ha contratado. Es una de las prácticas del negocio del sexo que las prostitutas colombianas se ven forzadas a realizar en los teatros del Japón. Aunque es la tarea más desagradable para ellas, resulta sin duda una de las mejor remuneradas. Por ejemplo, mientras que por 10 días de *beto* —el *striptease* que realizan sobre una plataforma giratoria— se ganan 150 mil yenes, en la *jomba* por el mismo período reciben 220 mil. Además, si la mujer se muestra bastante ardiente y sensual con el ganador del momento, tendrá mejores posibilidades de atrapar clientes para el *praiveto* o sexo en privado, lo que le puede representar un ingreso adicional.

De estas tres modalidades del negocio carnal, sólo el *praiveto* está legalmente permitido en Japón. Si se descubren, la *jomba* y el *shirokuro* son severamente castigados, incluso con prisión. Su mismo carácter prohibido hizo que los jefes yakuzas sintieran interés por ellos. Y supieron tomar de la *jomba* las bases del *shirokuro*, al punto de que lo convirtieron en el gran negocio que es hoy.

Para los clientes, el *shirokuro* presenta mayor atractivo visual que la *jomba*, pues durante los 25 minutos que dura equivale a presenciar una película de porno triple X, pero en vivo, con la posibilidad de detallar paso a paso, y a pocos centímetros de los protagonistas, el desarrollo de las veintidós posiciones.

Los yakuzas saben que a sus coterráneos les encanta tanto la práctica del sexo como mirar a los demás hacerlo. Dada la prohibición, el espectáculo genera mayores ganancias para los mafiosos. La Yakuza domina los quince únicos teatros que en todo el Japón ofrecen de manera clandestina este show.

Por eso, para Miguel Ángel ésta se perfilaba como una gran oportunidad. Desde el principio entendió que debía perfeccionar las técnicas e incrementar el número de posiciones si quería destacarse como el mejor y convertirse en el más cotizado del país. Por entonces el *shirokuro* sólo era protagonizado por japoneses. Yamazaki le dijo que lo promocionaría como el primer extranjero en practicarlo en todo el país. Le prometió llamarlo días después, una vez hiciera ciertos arreglos con los empresarios de los teatros y montara toda la campaña publicitaria. La coreografía sería diferente y especial, pues en su caso se trataba de un *gaijin*, un extranjero occidental.

Antes de despedirse, Yamazaki le dijo que tuviera en cuenta que lo que se busca con el *shirokuro* es, además de atraer clientela, incitar a los asistentes a que, una vez terminado el show, gasten su dinero en los demás servicios sexuales que ofrece el *guekillo*.

Sexo para todos los gustos

El *shirokuro* es la última exhibición de las varias que ofrece un teatro en cada jornada. La representación comienza hacia la una de la tarde con el *beto*, o sea el *striptease* sobre la plataforma giratoria, cuya duración es de 20 minutos. El cliente puede optar por el *tachi* —el nombre es una degeneración del verbo inglés *touch*, tocar—, que consiste en acariciar el cuerpo desnudo de una mujer, especialmente sus senos, por 600 yenes. Luego viene la «polaroid», un servicio que por 500 yenes permite tomar una fotografía de las partes más íntimas de la prostituta. Casi todos los hombres que lo hacen guardan la instantánea como si se tratara de un trofeo; algunos incluso piden autógrafo y un beso impreso para coleccionarla. Este menú de servicios se repite tres y hasta cuatro veces en un mismo día. La jornada de una de estas mujeres termina pasada la medianoche.

Las colombianas tienen prohibido trabajar en todos los servicios a la vez. El contrato está diseñado de tal manera que quien trabaje en el *beto* no pueda hacerlo en el *tachi*, ni quien actúe en éste puede hacerlo en la «polaroid». Deben esperar a que pasen los 10 días de la *toka* para que su jefe las reasigne en otra modalidad.

No en todas las ciudades del Japón, pero sí en la gran mayoría, está autorizado el *praiveto*, la relación en pareja en una pequeña pieza del teatro, así como el *pinko*, que consiste en atención de sexo oral y masturbación; los teatros dedicados a esta actividad cuentan con unas piecitas especiales. El *pinko* es la más rutinaria de las prácticas sexuales en el mundo de la prostitución japonesa, y no sólo es practicado en los *guekillos* sino también en lugares especialmente acondicionados, para los cuales sus propietarios han conseguido el debido aval del gobierno. En ellos atienden varias mujeres, cada una de las cuales tiene a su cargo entre veinte y cuarenta hombres. A diferencia de estos sitios, los *guekillos* ocupan sólo a dos prostitutas, y en algunos casos a una sola, para satisfacer a toda la clientela, lo que equivale a una cantidad de hombres que fácilmente puede sobrepasar el ciento por cada mujer.

En los teatros, la tarifa del *pinko* depende del tiempo requerido por el cliente, pero nunca baja de los 4.000 yenes por los primeros 20 minutos. De ese dinero, sólo 1.000 llegan a manos de la mujer que lo practica.

En los teatros donde la policía ejerce mayor vigilancia y hace cumplir la ley prohibiendo los *praivetos*, las colombianas se las arreglan para salir con los clientes a hoteles cercanos. Para ellas son como horas extras, pues utilizan su tiempo de descanso. A esta práctica se le llama *deito*.

Cómo ser un profesional del *shirokuro*
Miguel Ángel regresó al Diana's Disco. Más preocupado que animado por esta nueva etapa de su vi-

da, dedicó las siguientes horas de la noche a especular sobre su futuro laboral. El tiempo apremiaba. Durante los próximos días, sin salirse de las reglas del *shirokuro* que Yamazaki le había detallado, tenía que inventar un espectáculo diferente. Hasta el momento, en su trabajo de prostituto, con las clientas que lo visitaban sólo practicaba las posiciones elementales. Ahora todos sus esfuerzos se centrarían en aumentar el número de poses. Y fue precisamente su trabajo en la discoteca lo que le sirvió de base para montar su futuro show.

A las mujeres con las que se encontraba en el bar les pedía que le hablaran de sus preferencias sexuales, y en especial de las nuevas técnicas en la cama. Libreta en mano, logró clasificar unas diez posiciones adicionales a las que ya conocía. Diana, una joven que había llegado de Bogotá, fue quien más aportes hizo a sus conocimientos sexuales. Se convirtió en una especie de tutora con la que todas las tardes, antes de comenzar su turno en la discoteca, se encerraba a practicar. Incluso, para matar la vergüenza que sentía al hacerlo en público, invitaba a varios de sus mejores amigos a presenciar los ensayos.

En dos semanas ya se sentía casi listo. En su libreta de apuntes figuraba una lista de 15 nuevas posiciones, sin contar las cuatro más comunes. Además, Diana le recordó que las caricias y el sexo oral también podían ser considerados como parte del repertorio. Así, se sintió capaz de enfrentar al exigente público de los *guekillos*. Sólo faltaba escoger a la pareja que lo acompañaría en su debut. Desde el principio tuvo claro que Diana no podía ser, entre otras razones por su espigada estatura y la poca atracción física que sentía hacia ella. Era consciente de que una mujer más alta que él le resultaría tremendamente incómoda y le dificultaría las maniobras, más si se tiene en cuenta que el show le obligaría a mantenerla sobre su cuerpo durante varios minutos. Además, era importante que entre él y su pareja hubiera química sexual, una constante atracción que mantuviera su deseo despierto.

Verónica, una pereirana que había conocido en una rumba, era la que más llenaba sus expectativas. Esta joven de 21 años apenas medía 1,65 de estatura, era delgada pero de cuerpo torneado, y no sólo se acomodaba a las circunstancias del momento sino que le atraía en todo el sentido de la palabra. A Miguel Ángel le encantaba por su dulzura y feminidad. Además, en ella había encontrado un complemento perfecto para amainar sus soledades, luego de casi un año de haber llegado a esas tierras lejanas. La veía como a un ser falto de cariño y protección, y ella encontraba en él el calor humano, el buen humor y la alegría que había dejado en su país. Sexualmente también se entendían.

Estaba casi seguro de que Verónica no pondría reparos a la propuesta de convertirse en su compañera de *shirokuro*. Entre ellos se había generado un sentimiento muy especial. De todas las mujeres que conocía merced a su trabajo, ella era la única que le despertaba, en un solo pensamiento, cariño, pasión y necesidad de compañía. Sin embargo, estaba consciente de que no podía sentir amor por ella, pues aún recordaba con suspiros a la madre de su hijo.

No fue difícil convencerla, ya que la misma Verónica lo acosaba a diario para que dejara el trabajo de la prostitución. Miguel Ángel siempre le respondía lo mismo:

—El día que consiga otra forma de ganarme la plata, me retiro de aquí.

Le recalcó que en esa propuesta veía la gran oportunidad que estaba esperando para salir de una vez por todas de aquel lugar.

—¿Juntos? —preguntó ella.

—Juntos, y sólo nosotros dos —respondió él.

Como si se tratara de un sí matrimonial, la hermosa Verónica aceptó. En realidad, sin papeles ni compromisos firmados, acabaron pactando un singular y prolongado «casamiento» laboral. Una semana después, Yamazaki llamó.

La primera *toka*

Yamazaki les había pedido que llegaran con la ropa necesaria para el espectáculo. Compraron costosas prendas sensuales y transparencias de seda en grandes cantidades, pues había que darles variedad a las muchas presentaciones que iban a tener. Casi toda la vestimenta especial la adquirieron en los grandes almacenes del sector conocidos como Studio Alta, en Shinjuku. Según las instrucciones que recibieron, antes de dos días debían viajar hacia la ciudad de Fukuyama.

Partieron en la mañana a través del Shinkansen o tren bala conocido como Nozomi, uno de los más veloces del mundo, que abordaron en la Estación Central de Tokio. En tres horas los llevó a la estación de llegada, en un recorrido de aproximadamente 450 kilómetros.

Aprovecharon el viaje para ver desde las ventanillas de los modernos vagones las grandes maravillas de la arquitectura nipona, los pueblos típicos, los castillos milenarios, los templos sintoístas, el hermoso paisaje campestre, y en particular, el avance tecnológico que se percibe por todas partes. El recorrido los llevó por el puerto de Yokohama y les permitió observar muy de cerca el imponente monte Fuji, al que los japoneses llaman Fuji San (Señor Fuji) como demostración de respeto y admiración por este símbolo nacional. Pero lo que más despertó el interés de los dos colombianos fue el paso del tren por debajo del mar. Literalmente, y durante unos 10 minutos, el veloz aparato atraviesa el océano por un túnel de concreto, antes de normalizar su rumbo y llegar a la gran ciudad de Nagoya, a la histórica Kioto y otros muchos lugares, grandes y pequeños, de los cuales Miguel Ángel y su acompañante sólo habían oído hablar o habían visto representados con un punto en los mapas de los textos estudiantiles, cuando vivían en Colombia.

Llegaron a Fukuyama pasado el mediodía. En comparación con la gran Tokio, ésta parecía más un pueblo que una bulliciosa ciudad. La gente caminaba tranquila por las estrechas calles, y los muchachitos y adolescentes se mostraban muy curiosos ante la presencia de la pareja de forasteros. Las mujeres jóvenes se les acercaban, los miraban rápidamente a los ojos y luego, quizás como burla, quizás como gesto de cortesía, se reían llevándose las manos a la boca.

Un taxi los condujo en cinco minutos hasta el número 2-2-1 de la zona postal 720, donde se encontraba el Fukuyama Daichi Theater. Los recibió el administrador del establecimiento, quien tenía instrucciones del propietario de darles la bienvenida e instalarlos en la que sería su *kakuya* durante la *toka*, es decir, cada período de 10 días de trabajo. El hombre les indicó que el jefe, o *sacho*, como se les dice a los patrones en el Japón, les había dejado órdenes de que debían comenzar a trabajar al día siguiente.

Esa misma noche terminaba la *toka* de la pareja de japoneses a los que Miguel Ángel y Verónica debían reemplazar. En aquel *guekillo* trabajaban colombianas, japonesas y filipinas, pero la llegada de la nueva pareja causó gran revuelo y expectativa general. Todos la esperaban con cierto morbo. No hubo rechazo. Por el contrario, en un claro gesto de solidaridad, cada uno de los empleados del teatro se acercó a saludarlos. Otros les llevaron regalos y les expresaron su admiración y respeto por su valor para atreverse a romper la tradición de muchos años. Contrario a lo que se esperaba, las colombianas resultaron ser las menos efusivas, y apenas los saludaron con la mirada. Miguel Ángel pensó que era por timidez y vergüenza, o por simple reticencia femenina ante la presencia de Verónica.

Aprovecharon el resto de día para caminar por las calles, conocer los sitios claves de compras, llevar algunos alimentos para preparar las comidas y para ubicar las cabinas telefónicas más seguras, que estuvieran lejos de la vista de las autoridades, pues contaban con tarjetas prepago adulteradas, de las que venden los iraníes en parques y lugares de diversión nocturna a un precio mucho más bajo que en los mercados. Son tarjetas recargadas clandestinamente mediante un sistema importado desde Rusia por la Yakuza que, a su vez, encomienda la venta callejera a los rebuscadores llegados de Irán y Pakistán. Es otra lucrativa extensión de los tentáculos de la mafia japonesa, en la que además de los iraníes y paquistaníes encuentran escampadero los inmigrantes peruanos y, últimamente, los colombianos.

Cuando regresaron al *guekillo*, aún no terminaba la segunda presentación de la pareja japonesa a la que ellos reemplazarían. Ken, de unos 27 años, y Kanako, una alegre chica de 21, eran dos principiantes que apenas llevaban tres meses en el *shirokuro*. Trabajaban para un *kos* yakuza de la ciudad de Osaka, y aunque no hacían parte de la mafia, a los dos los alentaba el mismo interés de conseguir bastante dinero de manera rápida.

Miguel Ángel y Verónica aprovecharon cada instante para detallar su técnica y aprender un poco más de lo que ya sabían. Para presenciar el show, debieron esconderse tras una cortina oscura junto a una pared, pues la tradición ordena que ningún hombre dedicado al *shirokuro* debe ser visto por otro que haga lo mismo. Aun así, y ante la inminencia de su debut al día siguiente, Miguel Ángel y Verónica sintieron la necesidad de espiar los movimientos de la otra pareja, empujados también un poco por la curiosidad y el morbo, pero ante todo para corregir errores antes de salir ante el público.

Miguel Ángel descubrió en la novel pareja cierto nerviosismo y advirtió algunos movimientos torpes en el cambio de las posiciones. Trató de leer el pensamiento del muchacho y vio en su rostro el temor al auditorio. Fue entonces cuando se dio cuenta de que él también estaba nervioso: sus manos sudaban y el corazón le latía aceleradamente. Por primera vez, quizás desde su llegada al Japón, estaba sintiendo el verdadero miedo. En una ráfaga de pensamiento tomó la decisión de olvidarlo todo, empacar la maleta y salir corriendo de regreso. Pero pudo más el honor de la palabra empeñada, su hombría y la necesidad de ahorrar buen dinero. La oportunidad que había estado buscando la tenía ahí, frente a sus ojos, a unos cuantos metros, y no era el momento de echarlo todo por la ventana y regresar como un perro apaleado con la cola entre las piernas.

Miró a Verónica y encontró en sus ojos el mismo pánico. Pero esos ojos aterrados que lo miraban fijamente le dieron un segundo aliento. En ellos percibió una especie de súplica para que no desfalleciera. La mano de ella apretando la suya fue un segundo impulso de confianza que lo sacó de ese rápido pensamiento que casi le hace tirar la toalla.

—No tengas miedo… Vamos a lograrlo. Tú eres un verraco —le dijo ella.

Salieron hacia la *kakuya* para tratar de dormir temprano. Detrás de ellos quedaban las miradas libidinosas de hombres comprando sexo y alquilando ternura en medio de un extraño mundo que desde ya se alistaba para poner a prueba todas sus esperanzas, para recibirlos unas horas más tarde.

No durmieron muy bien. La ansiedad y los nervios montaron un complot para evitar que conciliaran un profundo sueño. Varias veces se despertaron pensando en la futura presentación. Tenían que estar listos a las dos y media. Su debut, a las tres de la tarde, era el telón de fondo de un prolongado y variado programa que comenzaba a la una en punto.

Además del *shirokuro*, el teatro ofrecía el show de *striptease* o *beto*, la «polaroid» y una derivación del *tachi* conocida como *irepón*, que vulgarmente podría traducirse como «meter un dedo». El término explica por sí solo en qué consiste. A las colombianas, el *irepón* les parece el más desagradecido de los servicios que ofrecen, y no tanto porque el escarnio debe ocurrir ante la mirada de todo el público, sino porque termina siendo el más mal remunerado de todos: de los 600 yenes que recibe el patrón de manos del cliente, a ellas sólo les llegan 250.

El acto de la pareja colombiana había sido lo bastante promocionado como para esperar un lleno completo. Yamazaki había cumplido con su parte: la publicidad que se le había dado al debut del primer extranjero en el *shirokuro* había surtido sus efectos. La concurrencia rebasó con creces los cálculos: esta vez la cantidad de público parecía doblar a lo acostumbrado. Muchos, quizás la mayoría, asistieron más con la idea de presenciar con burla al forastero principiante.

El debut

En la *kakuya* ultimaron detalles. Hicieron un pequeño ensayo, y todo parecía estar en perfectas condiciones. Bajaron al escenario. Un hombre que hacía las veces de maestro de ceremonias anunció a través del micrófono la presencia de Miguel Ángel y Verónica: «Ja okeagsan kochira wa Migueru ando Verónica jomba shirokuro desu». Después de una larga lista de halagos a la potencia sexual de la pareja y a sus virtudes artísticas, los llamó para que se presentaran ante el público. Fueron recibidos con un fuerte aplauso. A manera de introducción, antes del *shirokuro*, presentaron como abrebocas un movido baile típico latino que de paso les sirvió para distensionar el ambiente y bajar un poco la presión que ejercían los asistentes.

Ella vestía un corsé negro y transparente que le cubría hasta el ombligo, ligueros del mismo color hasta la media pierna y medias veladas de tono oscuro que hacían juego con la diminuta tanga, también negra y de encaje. En lugar de zapatos de tacón alto escogió un par de zapatillas de ballet negras que combinaban fácilmente con las demás prendas. Su cabello rubio suelto contrastaba con unas cejas negras finamente delineadas que le daban a su rostro un tono hermoso y sensual. El lápiz labial fucsia le hacía ver la boca más carnosa y provocativa que nunca.

Miguel Ángel llevaba puesto un pantalón de cuero negro sujeto con tirantes. No vestía camisa, y los zapatos también eran un calzado de ballet que le facilitaban el baile. Se había engominado el pelo y lo llevaba recogido atrás en una cola para evitar que le cayera sobre el rostro. Su bigote bien cuidado dejaba en los japoneses la impresión de que se trataba de un hombre experto en las lides sexuales. Integralmente visto, tenía la apariencia de un gigoló recién llegado de Italia.

Bailaron una canción de salsa que duró cinco minutos y estuvieron listos para comenzar el acto central. La pareja gustó, a juzgar por los aplausos que arrancó del público. El ritmo de la música cambió radicalmente. De la tropical, pasaron a la sen-

sualidad de los acordes de una balada de Madonna.
De esta forma los espectadores sabían que lo que
más esperaban estaba a punto de comenzar. Miguel Ángel se sentía preparado. Ella estaba lista y
se sentía segura. Pero no contaron con el protagonista más importante del día, el único que no podía fallar. Pues bien, después de muchos años, muchas experiencias, muchas aventuras, el miembro
viril falló.

Miguel Ángel sintió que el mundo se le venía
encima. En ese momento supo lo que era el terror.
Miró hacia los rostros acusadores de cada uno de
los asistentes y quiso que la plataforma giratoria sobre la que posaban se abriera por la mitad y dejara al descubierto un hondo hueco por el cual pudiera
desaparecer. La ansiedad y el estrés se apoderaron
de su ser, y su cerebro no respondió a los llamados
de concentración. Su miembro, el mismo que tantas veces lo había acompañado con lealtad y sumisión, no reaccionaba ni respondía. Había dejado de
sentirlo. Le parecía que allá abajo, en medio de sus
piernas, no había más que un pedazo de piel recogida sin relleno alguno. Su fortaleza sexual se había ido, quién sabe para dónde.

Pasaron 15 eternos minutos. Verónica acudió a
todos los trucos de su repertorio, pero las cosas si-

guieron iguales. El sexo oral que ella le practicó con esmero tampoco prosperó. Se dieron por vencidos. El silencio era general. Sin dejar de mirar de frente al auditorio, caminaron hacia atrás varios pasos y, en señal de respeto, inclinaron el tronco hacia abajo para despedirse con la milenaria venia oriental. «Gommen nasai, dekimasen» («Perdónenme, no puedo»), expresó el abatido Miguel Ángel. El público siguió en silencio unos segundos más, pero en lugar de estallar en vituperios e insultos, los despidió con aplausos. Los extranjeros habían sido disculpados. Miguel Ángel y Verónica se retiraron.

En la *kakuya* hablaron muy poco. Mientras tanto, afuera el espectáculo de la jornada continuaba. Ella le hizo ver que en dos horas más tendrían una segunda oportunidad. Prefirieron no hablar más del asunto hasta que volvieran a ser llamados al escenario. Él pensaba que todo había sido cosa de los nervios del momento y que en la próxima salida podría vencerlos.

Pero volvió a ocurrir la segunda, tercera y cuarta vez. Lo más sorprendente es que el colombiano sentía que su miembro no sólo lo estaba traicionando, sino que se burlaba de él en todos los intentos. Una vez solo en la *kakuya*, sin la presencia del público, se erguía amenazante y orgulloso, dispuesto a todo y listo para entrar en acción. Pero bastaba el primer paso sobre el escenario para que su vigor comenzara a esconderse en un paulatino rito que terminaba de nuevo en el fracaso. Todo el día fue perdido en tiempo y dinero. Miguel Ángel se sintió como el gallo capón del gallinero. Las gallinas —en este caso, unas seis mujeres que trabajaban en el Fukuyama Daichi Theater— estarían burlándose a carcajadas del estruendoso fracaso del gigoló colombiano.

La pareja esperaba el reproche inmediato del *sacho*, el dueño del teatro, o en su defecto la llamada de Yamazaki, el verdadero *kos* yakuza que lo había contratado. Pero ni lo uno ni lo otro ocurrió. Así, determinaron dormir y recuperar el sueño que no habían logrado conciliar la noche anterior. Pese a que no fue posible el espectáculo del sexo, el cansancio físico los tenía extenuados.

El segundo día fue calcado del primero. Incluso los clientes resultaron ser los mismos de la jornada anterior. Asistieron a los cuatro intentos que volvió a hacer la pareja, pero decepcionados, se quedaron con las ganas de ver el gran debut del nuevo *shirokuro*. Terminada la última presentación, Mi-

guel Ángel veía en Verónica la angustia y la tristeza, además del temor por el fracaso en las ocho
oportunidades. Miguel Ángel no lo pensó más y
solicitó hablar con el *sacho* del teatro. Luego de dis-
culparse por no cumplir con lo acordado, le presentó su renuncia. El anciano jefe le restó importancia
a su fracaso y le dio un nuevo voto de confianza
aclarándole que él sabía lo difícil que resultaba el
shirokuro para los principiantes. Le explicó que era
normal lo que estaba ocurriendo: por lo general los
principiantes tardan hasta cinco o más días para
adaptarse y acomodar su mente, para lograr la óp-
tima y necesaria concentración. Y Miguel Ángel
apenas llevaba dos días. Confiaba que en cuestión de
una semana las cosas cambiarían. Además, lo alentó revelándole que el público también disfruta el
espectáculo cuando ocurren situaciones como ésta.

Miguel Ángel prometió resultados satisfacto-
rios en las próximas presentaciones. En caso contrario, renunciaría. Estaba dispuesto a todo. Incluso,
no descartó el uso de drogas alucinógenas, pues recordó que en sus rumbas en la discoteca solía mez-
clar sexo con cocaína y marihuana. Cuando lo hacía,
se sentía más dueño de la situación y con más capacidad y aguante sexual. Llamó a su amigo Al-

fredo a Tokio y le pidió que de manera urgente le consiguiera y le enviara algunos gramos de aquellas drogas. El encargo llegó en menos de 24 horas. Las usó todas las veces posibles antes de salir al escenario, y hasta las mezcló con alcohol. El resultado fue catastrófico, especialmente en la última presentación: cuando salió a la plataforma totalmente desnudo, vistiendo sólo unas medias blancas y un par de zapatos de suela y tacón alto, dignos más de un escolar que de un hombre que fuera a hacer una presentación de *shirokuro*, se vio ridículo. Para colmo, perdió el control de su cuerpo mientras la plataforma giraba, y sus 74 kilos de peso cayeron sobre la pobre Verónica, que nada pudo hacer para evitar la hecatombe. El triste espectáculo despertó las carcajadas de los espectadores. Igual que los días anteriores, se retiraron vencidos hacia la *kakuya*. Completaban ya tres días y restaban siete de la *toka* de diez que imponen los jefes yakuza. El siguiente sería el definitivo, pues se cumplía el plazo de los cuatro que él mismo se había fijado antes de renunciar.

La hora de la verdad

Era un jueves del mes de enero de 1994. Se levantó temprano. Quería aprovechar el tiempo para meditar sobre las posibles razones que lo mantenían al borde del abismo. Descubrió que lo que más le aterraba durante los intentos era el rostro de los clientes mirándolo con ansiedad y desesperación. Supo entonces que lo mejor que podía hacer era no observar al auditorio, no prestar atención a los murmullos y hacerse a la idea de que allí arriba, sobre la plataforma, sólo se encontraban él y Verónica haciendo el amor como cualquier otra pareja en la intimidad de un dormitorio. Terminó diciéndose que no podía ser inferior a la gente que asistía a este tipo de espectáculos, por lo general hombres y mujeres con algún tipo de desorden psicológico, amantes de rarezas y aberraciones sexuales. Nada peor podía pasarle. Este convencimiento lo ayudó a relajarse. Le dijo a Verónica que esa fecha marcaba el verdadero principio de su futuro en el *shirokuro*. Y así fue.

A las tres de la tarde, con la primera caricia de Verónica, el ausente amigo resurgió de su escondite. Miguel Ángel supo entonces que había llegado el momento. En 20 minutos logró cumplir con diecisiete de las veintidós posiciones que había aprendido, y la excitación física se mezcló con una alegría indescriptible. Los aplausos sellaron el primer triunfo, que se repetiría en el resto de la jornada. Las propinas también aparecieron. Miguel Ángel se convertía en el primer extranjero en ejecutar el *shirokuro*, un espacio hasta ahora reservado para los japoneses.

Las siguientes tres apariciones en público les representaron unos 25 mil yenes en propinas, cerca de 250 dólares. Terminaron pasadas las doce de la noche. Los esperaba un *ofuro*, el relajante baño en agua caliente, preparado con antelación en una tina con sales de varios aromas y colores. Allí permanecieron casi una hora descansando el cuerpo. Sólo hasta ese momento Miguel Ángel descubrió que en sus rodillas habían aparecido laceraciones, producto del contacto constante de la piel con la alfombra que cubría la plataforma giratoria sobre la que se desarrollaron las cuatro presentaciones del día. En adelante, se vería obligado a utilizar unas rodilleras especiales para protegerse.

Desde la tina en la que descansaba con Verónica se alcanzaba a escuchar la euforia que su éxito había desatado, no sólo entre los espectadores sino entre todos los empleados del lugar, incluidas las mujeres filipinas, japonesas y en especial las colombianas que allí trabajaban. De alguna manera, el fracaso de la pareja habría perjudicado el trabajo de los demás. Por eso, este triunfo auguraba un mejor futuro para el establecimiento, pues garantizaba la presencia de más visitantes y constituía un refresco en el ya monótono y repetitivo ambiente nocturno del Japón. Era claro que acababa de nacer una estrella del espectáculo del sexo en vivo. Una pareja a la que, una vez corrieran los comentarios callejeros, todos los asiduos clientes de los teatros iban a querer conocer. Los ingresos de todos mejorarían. Así se los hicieron saber los trabajadores del teatro cuando, luego del baño, se acercaron a felicitarlos. Las japonesas no escatimaron sus reverencias orientales para demostrar su agradecimiento y admiración. También apareció el *buchó*, el hombre encargado de administrar el *guekillo*, quien manifestó su complacencia llevándoles un pequeño *buffet* de *sushi*, la comida japonesa más conocida en el mundo. Comieron y, por primera vez en esa *toka*, pudieron dormir profundamente.

Faltaban seis días para que terminara la *toka*. En adelante hubo gran concurrencia de público en todos los shows; las otras exhibiciones que brindaba el lugar también incrementaron su clientela. Así llegó el miércoles, último día de la *toka*, y con él el pago. Miguel Ángel y Verónica fueron los primeros en recibir el dinero por las diez jornadas trabajadas. Pero, para su sorpresa, les cancelaron apenas 400 mil yenes, aproximadamente 4.000 dólares. Esperaban 1.000 dólares más, según el pacto que habían tenido con Yamazaki. Pero el *buchó* les explicó que la orden que había recibido era que del salario total, 1.000 dólares debían ser consignados al *kos* Yamazaki, comoquiera que era el encargado de distribuir en cada teatro a los *talentos*, es decir, a los trabajadores como Miguel Ángel y Verónica. Esta tarea de los *kos* es conocida en el argot de la Yakuza como *bukin*, y en esencia significa rotar al personal en los diferentes teatros y *omisés*. Por ese trabajo reciben una comisión, la que precisamente le descontaron a la pareja de colombianos.

Un poco decepcionado por el «impuesto» que le acababan de descontar, Miguel Ángel decidió, sin embargo, seguir trabajando al servicio de Yamazaki. Pero aprovecharía su relación laboral con este *kos* yakuza para conocer más sobre el negocio del *bukin*. Esperaba poder algún día independizarse.

Camino a la consagración
Yamazaki había dispuesto que la siguiente *toka* de la pareja tendría lugar en la histórica ciudad de Hi-

roshima. El jueves debían presentarse en el Hiro-shima Daichi Guekillo, un antiquísimo y por lo tanto conocido teatro ubicado en pleno sector comercial de la ciudad. El *sacho* del lugar los esperaba antes del mediodía. Aunque no superaba los 1,55 metros, este hombrecito irradiaba una autoridad que no coincidía con su estatura. Una imponencia que apoyaba en su fuerte tono de voz lo hacía temible a quien lo viera y escuchara por primera vez. Pero lo que más inspiraba respeto entre la clientela y los trabajadores era el séquito de cuatro o cinco *shimpiras* que siempre lo rodeaban y lo acompañaban a todas partes. Su establecimiento era reconocido por la constante visita de miembros de la Yakuza, a quienes se veía eternamente acompañados de los malencarados *shimpiras*, siempre dispuestos a la pelea y a la violencia.

Aunque el recibimiento allí no contó con la misma calidez con la que fueron despedidos en Fukuyama, el diminuto *sacho* los atendió con respeto y los envió con uno de los hombres a su servicio hasta la *kakuya* que les correspondía, en el segundo piso de la casa.

Se instalaron y salieron a comprar el mercado. Tuvieron tiempo para caminar por la zona del holocausto devastada por la bomba atómica, donde sólo quedan en pie las ruinas de una edificación, pedazos de pared que hoy son el símbolo de esa tragedia que vivió la humanidad. Pese a tratarse de un lugar que vivió el dolor en carne viva, paradójicamente el sitio hoy día constituye una hermosa vista, y cuando se pisa su suelo se siente una extraña sensación de paz.

El lugar está cruzado por un cristalino río, frecuentado por miles de turistas de todo el mundo que se acomodan en embarcaciones de regular tamaño para recorrer los alrededores de la zona histórica. Justo al inicio del recorrido, un museo se erige sobre un suelo tapizado de tulipanes. Allí reposan los recuerdos más explícitos de la crueldad vivida: un reloj de mano parado en la hora en que cayó la bomba, un triciclo retorcido que relata la historia del niño que lo montaba, y los videos de la lluvia negra que cayó durante días sobre esta parte de la tierra, destrozando con su contacto toda posibilidad de vida. El museo también exhibe fotografías de los rostros quemados por las gotas de la letal lluvia. La muestra, visitada por gente de todo el mundo, la mayoría japoneses, constituye una cruel forma de pedir que nunca se olvide el horror de aquel nefasto día ni a quienes lo ocasionaron.

Esa misma tarde debutaban. Regresaron al teatro a las doce y media porque debían estar listos una hora después. El Hiroshima Daichi Guekillo se convertiría en el negocio más frecuentado por Miguel Ángel en los siguientes dos años y ocho meses de trabajo en el espectáculo del *shirokuro*. Con el paso del tiempo, allí consolidaría su fama en el mundo del sexo en vivo, reconocimiento que se extendería hasta lugares tan apartados como la ciudad de Matsuyama, a la que sólo se puede llegar en barco o avión.

Este *guekillo* también le permitiría entablar una muy buena relación laboral y personal con el *sacho*, quien llegaría a considerarlo la estrella del local. Con el tiempo, a veces incluso se lo llevaría como compañero en sus salidas nocturnas o lo invitaría a tomar licor en otros negocios. Allí, desde el comienzo las cosas salieron bien.

El Hiroshima Daichi Guekillo era más grande, casi el doble del que había conocido en Fukuyama, y la clientela parecía más exigente. De todas maneras, la primera *toka* resultó exitosa y tranquila. Los viejos temores que lo habían atormentado en días anteriores habían desaparecido por completo. La pareja mejoraba y perfeccionaba día a día su espectáculo. Aunque seguían practicando las veintidós posiciones, al show le agregaban nuevos y picantes ingredientes. La idea era evitar la monotonía y no cansar a la audiencia con la misma rutina. Integraron otros bailes previos al sexo, utilizaron disfraces y armaron coreografías. Incluso inventaron pequeños *sketches*, cortas escenas dramatizadas que mantenían viva la atención del público. Así, estimulando su fantasía, aumentaban el interés.

Pero en este recinto Miguel Ángel también protagonizaría sus primeros roces con el público. En una ocasión se vio obligado a bajarse del escenario y, desnudo como estaba, la emprendió a golpes nada menos que contra un *shimpira* que no cesaba de molestarlo e insultarlo mientras él intentaba concentrarse para ejecutar las posiciones. No le importó dejar a su compañera de trabajo sola mientras saltaba desde la plataforma sobre el hombre para golpearlo con la misma silla con la que montaban una escena en la que un sacerdote seducía a una inocente monja.

Después vendrían nuevas peleas en pleno espectáculo, con hombres que le gritaban improperios para no dejarlo concentrarse, o con otros que públicamente lo azuzaban para que su miembro

viril no funcionara. Cuando lo lograban, Miguel
Ángel reaccionaba con ira contra ellos y, además,
suspendía el espectáculo. Al principio recibía fuertes regaños del *sacho*, pero con el paso del tiempo,
y debido a los buenos resultados de su actuación,
el hombrecito le perdonaba sus furias y las pasaba
por alto. En cambio, a un trabajador japonés una
reacción de ésas no se la habría permitido ni perdo-
nado: el castigo habría sido una considerable multa sobre el siguiente salario, o en un caso más extremo, una golpiza ejecutada por los *shimpiras* de turno,
si es que no la suspensión de la *toka*. Para la mafia
yakuza, un cliente es más importante que cualquier
otra persona y siempre tiene la razón. Al fin y al
cabo, es el que pone el dinero.

Busco pareja para hacer el amor en público

El nombre de Miguel Ángel comenzó un largo recorrido entre al menos quince teatros ubicados a lo
largo y ancho de la geografía nipona. Con Verónica trabajó seis meses más. Los celos de la mujer de-
terioraron la relación personal. Además, él ya se
sentía cansado sexualmente de ella y quería alternar con otras mujeres, incluso con japonesas. Miguel Ángel creía que practicar el *shirokuro* con una

japonesa podría resultar más atractivo y generarle mejores ingresos. Además, la experiencia de ellas en este campo es reconocida. La idea no le gustó para nada a Verónica, quien un día empacó sus maletas y partió para Nagoya a trabajar de nuevo en la prostitución.

Miguel Ángel pronto encontró el reemplazo: Catherine, una antioqueña que había llegado dos años atrás y a quien había conocido en uno de los *guekillos* en los que él actuó con su antigua compañera. Esta «paisita» se desempeñaba principalmente en el *beto*, el *tachi* y una que otra vez en el *praiveto*. Era delgada, bonita y delicada. Desde el principio se mostró interesada en trabajar a su lado, en especial porque era muy ambiciosa y quería hacer dinero mucho antes de lo planeado, sin verse obligada a acostarse con tantos hombres. Entre otras cosas, a Miguel Ángel le llamó la atención la buena sazón que tenía en la cocina. Con ella logró lo que podría llamarse la perfección en la técnica del *shiro-kuro*. Su delicadeza y ternura gustaban mucho al público, y en especial la forma como caracterizaba el personaje de niña inocente en los shows. Ambos se sentían a gusto. Pero una calamidad de su familia en Colombia la hizo cambiar repentinamente de planes y debió regresar a su país cuando apenas llevaba tres meses al lado de Miguel Ángel.

Era la oportunidad que él esperaba para trabajar con una japonesa. Fue entonces cuando apareció en escena Keiko. Sería la primera y única nipona con la que compartiría el escenario. Con ella partiría hacia otros establecimientos y conocería públicos muy diferentes, con diversos gustos e inclinaciones. Su permanencia con Keiko le sirvió para estrechar el contacto con los *sachos* de los diferentes establecimientos a los que llegaban. Y gracias a ella pudo también exigir algo más de dinero, pues el espectáculo se promocionaba como el «gran *shirokuro* entre un *gaijin* y una *nihonjin*», que en palabras castellanas significa un extranjero y una japonesa.

Keiko era la más preparada de todas las mujeres con las que trabajó en Japón. De hecho, no era prostituta como las demás, ni la conoció en algún *guekillo*. Se encontraron por primera vez en Roppongi, la ciudad de la base militar gringa, en un restaurante que en las noches operaba como discoteca y cuyos propietarios eran una pareja de peruanos. Hablaba fluidamente el español, que había aprendido en Puerto Rico, y dominaba también el inglés, conocimiento que había adquirido directamente en Londres. Socióloga de profesión, la pequeña Keiko era hija de una pareja de policías pensionados de Tokio, y cuando conoció a Miguel Ángel era empleada de un almacén de software. Él le había propuesto que trabajaran juntos en el *shirokuro* y ella, aventurera y temeraria por naturaleza, aceptó sin tapujos. Tras aclararle que le fascinaban los hombres latinos, sólo puso como condición que le diera clases avanzadas de la técnica sexual y le enseñara a bailar salsa, baile del Caribe que conoció a su paso por Puerto Rico. Miguel Ángel había obtenido un gran logro laboral con los *kos*: descansar 10 días por cada tres *tokas* trabajadas. Así, mientras aún compartía con Catherine, dedicaba sus días libres a enseñarle *shirokuro* a Keiko en el apartamento de ésta.

De 30 años de edad, Keiko era el prototipo de la mujer japonesa: delgada, de apenas 47 kilos de peso, 1,60 metros de estatura, senos pequeños, cabello negro que le llegaba hasta los hombros y caderas estrechas. Lo que le faltaba en voluptuosidad le sobraba en rostro: ojos increíblemente negros, pestañas pobladas y finas líneas sobre los huesos de su cara enmarcaban una mirada firme y decidida.

A diferencia de sus coterráneas, su rostro no tenía la forma ovalada y, a simple vista, su apariencia reflejaba de inmediato la inteligencia que evidentemente tenía. Vestida de traje ejecutivo, con lentes transparentes, fácilmente se la podía confundir con cualquier gerente de banco o multinacional de Occidente. Pero su gran virtud física era la de aparentar una edad mucho menor de la que en realidad tenía. En ropa interior, desnuda y con trenzas, parecía más una colegiala de 18 años que la madura mujer de 30.

El espectáculo con ella funcionó como lo esperaban todos. Ante el público se presentaba una fogosa y ardiente pareja, en especial por la actuación de Miguel Ángel durante el rito sexual. Pero la realidad era otra. Poco a poco el colombiano fue descubriendo en ella una frialdad erótica que distaba kilómetros de lo que demostraba en las charlas que habían sostenido cuando recién se habían conocido. Durante el show, ni siquiera improvisaba los gemidos, como se lo pedía Miguel Ángel cada vez que iban a subir al escenario. Resultó una excepción a la regla en un país en el que las mujeres demuestran el gozo del sexo, sea real o ficticio. Por eso él comenzó a aburrirse. Además, la diferencia de culturas, las costumbres, los alimentos y la poca efusividad de ella hicieron que este contubernio también se disolviera en corto tiempo. Tan corto que ni siquiera alcanzó para poner a prueba los frágiles sentimientos que ellos creían que los unían: no alcanzaron a permanecer dos meses juntos.

Keiko viajó a Tokio, y años después aparecería en Colombia buscando rumbos más apasionantes. Sin embargo, su verdadera razón pareció ser la de encontrar esposo a sus 32 años, aprender a bailar salsa en Cali y conocer las maravillas de la cocina colombiana.

Un espectáculo bizarro

Yunogo es un pueblito muy pequeño de Japón, situado a unos 45 minutos de la ciudad de Okayama. Por su tamaño y atractivos turísticos, a este tipo de localidades se les conoce como *oncen*. Como los muchos *oncen* que existen en el país, éste cuenta con baños naturales de aguas termales a las que los japoneses les atribuyen propiedades y poderes medicinales. Pero el tamaño no es limitante para que aquí también funcione un *guekillo* que recibe la visita de cientos de turistas que durante todo el año llegan a descansar a la región. El teatro se llama

Yunogo DX Oncen. Su existencia es un fiel reflejo del apasionamiento que los japoneses sienten por el sexo como espectáculo. El diminuto poblado cuenta con tres grandes edificaciones en las que se ofrecen los servicios que ellos consideran básicos: el supermercado, una bolera y, por supuesto, el teatro.

Miguel Ángel llegó allí por primera vez el 20 de enero de 1995. Aunque el *kos* lo había planillado para una sola *toka* de 10 días, terminó trabajando el doble de tiempo. El teatro era inmenso. Contaba con dos plataformas y en el único piso funcionaban los *stelles*, las *kakuyas* para los *talentos*, la cocina y la vivienda de los cuidanderos. Con un parqueadero digno de un centro comercial, estaba ubicado en la entrada del pueblo, contiguo a la bolera.

Llamaba la atención que la esposa del *sacho*, la *mama san*, lucía vistosas cadenas de oro y en todos sus dedos llevaba grandes anillos con piedras preciosas. Algo muy extraño en las costumbres orientales, pues las mujeres, aunque para ocasiones muy especiales se visten elegantemente y gustan de verse bellas, casi nunca exhiben en público sus joyas, que las tienen, pero bien guardadas en cofres, en sus casas. Miguel Ángel entendió que aquella *mama*

Miguel Ángel, recién llegado a Japón, en los tiempos difíciles y sin dinero, cuando algunas colombianas y japonesas lo albergaron a cambio de cariño y compañía.

En sus inicios en la prostitución, cuando atraía a clientas japonesas y coreanas con su pinta de gigoló.

Descansando en su *kakuya,* luego del primer éxito en el *shirokuro,* saboreando un plato de *sushi* obsequiado por sus jefes.

Junto a Verónica, antes de un show de *shirokuro,* en el Fukuyama Daichi Theater. A petición del público representaban una escena erótica entre un cura y una monja.

Miguel Ángel muestra un aviso en japonés de su presentación con Verónica, cuando ya era toda una estrella del *shirokuro*.

Dos prostitutas colombianas en un *pinko* de Shibuya. En estos sitios siempre permanecen ligeras de ropa a la espera de los clientes que llegan en busca de sexo oral.

as colombianas casi siempre comparten sus días de descanso juntas. Ac

Cuatro prostitutas colombianas en un *omisé* de Nagoya. En el establecimiento se puede tomar licor y departir con las mujeres.

Facsímil de una «polaroid», fotografías que las prostitutas venden autografiadas a sus clientes por algo menos de dos dólares.

Tarjeta de invitación del International Club Carnival.

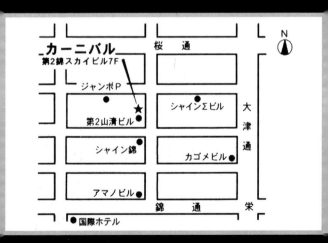

Al reverso de estas tarjetas siempre aparece un mapa que

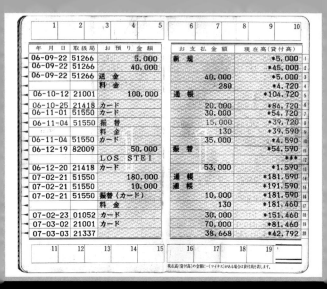

年 月 日	取扱局	お預り金額		お支払金額	現在高(貸付高)	
06-09-22	51266		5,000	新規	*5,000	1
06-09-22	51266		40,000		*45,000	2
06-09-22	51266	送 金		40,000	*5,000	3
		料 金		280	*4,720	4
06-10-12	21001		100,000	通 帳	*104,720	5
06-10-25	21418	カード		20,000	*84,720	6
06-11-01	51550	カード		30,000	*54,720	7
06-11-04	51550	振 替		15,000	*39,720	8
		料 金		130	*39,590	9
06-11-04	51550	カード		35,000	*4,590	10
06-12-19	82009		50,000	振 替	*54,590	11
		LOS STEI			***	12
06-12-20	21418	カード		53,000	*1,590	13
07-02-21	51550		180,000	通 帳	*181,590	14
07-02-21	51550		10,000	通 帳	*191,590	15
07-02-21	51550	振替（カード）		10,000	*181,590	16
		料 金		130	*181,460	17
07-02-23	01052	カード		30,000	*151,460	18
07-03-02	21001	カード		70,000	*81,460	19
07-03-03	21337			38,668	*42,792	20

11 12 13 14 15 16 17 18 19

現在高(貸付高)の金額に-(マイナス)がある場合は貸付高を表します。

Libreta de ahorros de una prostituta colombiana. Tiene registradas consignaciones en yenes durante dos meses para gastos personales en Japón.

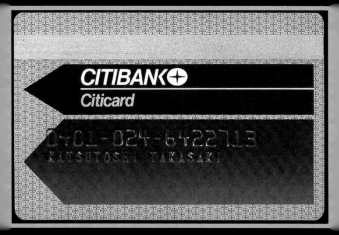

CITIBANK⊕
Citicard
0701-024-642713
KATSUTOSHI TAKASAKI

La tarjeta débito perteneciente a Katsutoshi Takasaki, alias *Antonio*, el jefe de Miguel Ángel. Se la mandó desde el Japón para que el colombiano hiciera retiros en efectivo con el fin de cubrir los gastos de envíos de mujeres desde Colombia.

san se había dejado influir por las prostitutas colombianas, quienes sobresalen en Japón y el mundo por sacar a relucir sus valiosos adornos de oro.

El *sacho*, quien ya había escuchado de la fama del colombiano, lo recibió amablemente. «Migueru san, ¿ochin chin guenki ka?», fue la primera pregunta que le hizo el viejo obeso aludiendo al tamaño y fortaleza del miembro viril del colombiano. Él mismo lo condujo hasta la *kakuya* que ocuparía. Comenzaría a trabajar de inmediato. Tenía que realizar tres presentaciones. Pero en esta oportunidad la atracción central no era sólo el *shirokuro*, sino el rito sexual de dos japonesas.

Pese a su ya amplio recorrido por la vida nocturna de Japón y de varios países de Europa, como Holanda, Italia y Alemania, Miguel Ángel jamás había visto algo semejante. Una de las mujeres acariciaba sus partes íntimas con gigantes zanahorias y pepinos. Pero la parte más impactante de su acto consistía en practicar el sexo con una enorme serpiente que, literalmente, desaparecía dentro de su cuerpo ante los ojos aterrados de todo el mundo. Luego, como si nada extraño hubiese ocurrido, con la ayuda de uno de los asistentes sacaba lentamente de su intimidad al enorme reptil.

Mientras caminaba con el *sacho* hacia la *kakuya*, Miguel Ángel pudo observar gran parte del estremecedor show. Sintió náuseas. No así el viejo que lo acompañaba, en cuyo rostro vislumbró un asomo de complacencia y lujuria. Convencido de que con esto ya lo había visto todo en la vida, se encerró en su pequeña habitación para cambiarse de ropa y preparar su salida al público. Pero se equivocaba: no lo había visto todo. Si el anterior espectáculo le causó náuseas, lo que venía lo estremecería, algo que pocas veces le ocurría en la vida.

Cuando regresó listo para debutar, debió esperar 20 minutos más tras bambalinas, pues faltaba una segunda exhibición tan o más fuerte que la primera. Esta vez, otra japonesa se disponía a practicar un rito de sadomasoquismo en vivo. Se trataba de una mujer adulta, de unos 40 años. Cuando Miguel Ángel llegó, ella prendía fuego a cuatro velones que mantenía parados sobre el piso. Luego procedió a pasear la llama de uno de ellos a lo largo de su cuerpo con una insólita lentitud que le arrancaba gritos de dolor, especialmente cuando la llama tocaba sus partes más íntimas. Ensimismada en su extraño rito, casi sin advertir la presencia de las cerca de doscientas personas que la miraban, llevaba la candela hasta sus senos y en un recorrido tan lento como el anterior, la pasaba bajo los pezones una y otra vez. Miguel Ángel y los demás espectadores miraban con incredulidad. Nadie podía precisar si los gritos de aquella mujer eran de dolor, de placer, de ambas cosas o simples reacciones fingidas.

De todas maneras, no hubo tiempo para más análisis, pues tomó con rapidez otros dos velones donde la cera derretida se había aposado y los usó al mismo tiempo derramando sobre su pecho, abdomen y vagina hasta la última gota de lo que más parecía un aceite recién sacado de una sartén que hubiera estado sobre un fogón prendido. La piel de la mujer se tornaba color rosa intenso, y sus gemidos no parecían de dolor. Con el último velón realizó la misma práctica, pero esta vez pidió la ayuda de un asistente que escogió entre el público. Aprovechó la libertad de sus manos para castigar fuertemente sus genitales, al tiempo que daba signos de ser presa de un nuevo orgasmo. Pero lo que parecía ser el clímax ocurrió minutos después, cuando, a petición de ella misma, un segundo cliente subió a la plataforma para golpearla con salvajismo. Se hizo amarrar de pies y manos y durante varios minutos fue severamente castigada con un corto pero grueso látigo de cuero. Exhausta, se retiró del escenario entre los aplausos y un extraño fervor del público. A juzgar por las miradas y los movimientos en las sillas, muchos de los asistentes habían disfrutado bastante aquella demostración de dolor ajeno.

Miguel Ángel se encontró frente a frente con esta última japonesa cuando se disponía a iniciar el *shirokuro*. No perdió la oportunidad para preguntarle sobre lo que acababa de ver, y ella le respondió con naturalidad que lo hacía más por placer que por dinero. Por experimentar semejante placer, durante los siguientes nueve días la japonesita se ganó 500 mil yenes repitiendo su acto sadomasoquista. Con las propinas, fácilmente pudo recaudar un total de 7.000 dólares durante esa *toka*.

Esas imágenes quedarían grabadas para siempre en el cerebro de Miguel Ángel. Lo afectaron a tal punto que tuvo que hacer un esfuerzo adicional para lograr la concentración indispensable para comenzar su presentación. Finalmente, superado el impacto, logró arrancar una sonrisa del *sacho* y un estruendoso aplauso del público. Parecía mentira que esa gente con cara de lujuria, placer y perversión estuviera en aquel lugar disfrutando de una apacible temporada de vacaciones. Vistos allí, apeñuscados el uno contra el otro, esos doscientos hombres más parecían habitantes de una cueva del infierno de Dante que padres de familia que hubieran viajado desde apartados lugares para disfrutar en paz un merecido, sano y saludable descanso.

Primero la patria

Yunogo quedaría para siempre en el recuerdo de Miguel Ángel. No sólo por haber tenido que compartir el escenario con las dos sadomasoquistas durante los 20 días que tuvo que permanecer allí en aquella primera oportunidad, sino porque meses después sus jefes lo enviarían de nuevo a la pequeña población, ocasión en que se convertiría en el protagonista de una fuga colectiva de prostitutas colombianas.

Este evento ocurrió justo un día antes de que terminara su *toka*. El *sacho* lo llamó con mucho sigilo y misterio y lo citó en su oficina. En voz baja le alertó de un operativo de allanamiento del local que la policía tenía previsto para las horas de la mañana del día siguiente. Le reveló que gracias a los contactos de los jefes yakuzas con las autoridades, se había pactado la entrega de las cuatro colombianas que allí laboraban. Le explicó que el acuerdo consistía en delatar y facilitar la detención de las extranjeras para que la policía no cerrara el establecimiento. Todas ellas, evidentemente, eran *obashites*, como se les dice en Japón a las mujeres que no tienen visa o la tienen vencida, es decir, que residen de manera ilegal.

El pacto era una muestra más del poder de la mafia japonesa y de cómo sus tentáculos penetran los estamentos del Estado. Pero no se trataba de una infiltración ni de un soborno. En Japón, el gobierno ha diseñado una singular estrategia para evitar que los miembros de la policía se dejen seducir por tentaciones de tipo económico. Consiste en un programa de retiro en el que, a manera de pensión, se les paga unos 500 mil dólares a los agentes que han cumplido un determinado tiempo de servicio. La jugosa oferta le permite a cada policía retirado vivir holgadamente, casi al mismo nivel de las familias de clase alta de cualquier país tercermundista, sólo que cuentan con prebendas como educación, vivienda, salud, recreación y acceso privilegiado a ciertos círculos de la sociedad, que corren por cuenta del Estado. Por eso, la policía japonesa tiene fama de ser una de las mejores y más eficientes del mundo.

Sin embargo, sigue siendo notoria la actitud permisiva de las autoridades ante los negocios de la Yakuza en todas sus manifestaciones: juegos de azar, prostitución, trata de blancas, cobro callejero de impuestos, tráfico de drogas y contrabando, entre otras. Esta actitud pasiva también involucra a los gobernantes: es de público conocimiento que reconocidas familias yakuzas acceden a las más importantes y grandes compañías de transporte y construcción del país, de las cuales en su mayoría son propietarias o socias directas o a través de terceros.

El pacto, entonces, no era un caso aislado. Miguel Ángel se había enterado de episodios similares que habían ocurrido tanto en teatros como en *omisés*, bares en los que trabajan sus coterráneas atendiendo a clientes, que en su mayoría son japoneses. Esta vez el operativo se adelantaría sólo contra ellas, por pertenecer al grupo de prostitutas con mayores problemas de inmigración. Las autoridades niponas creen que alrededor de las colombianas se mueve un submundo de delincuencia importante, comoquiera que son frecuentadas por ladrones y narcotraficantes iraníes, colombianos y peruanos.

El allanamiento estaba previsto para las ocho de la mañana, hora en la que todos los *talentos*, están durmiendo. El *sacho* le pidió que no revelara nada del operativo a las muchachas extranjeras, y le explicó que su caso ya estaba arreglado y que no debía preocuparse. Según se lo dio a entender, el *kos* Yamazaki le había advertido que Miguel Ángel no tenía ningún problema de papeles, pues lo consideraban italiano legal. La pinta de gigoló y una visa japonesa vencida le ayudaban. Estaba claro que a él había que protegerlo, pues su espectáculo era el que más clientela atraía (en esa época, el show de las sadomasoquistas había sido trasladado a otro teatro).

Miguel Ángel acordó no decir nada, pero para proteger a sus coterráneas rompió su promesa. Sabía de las dificultades de sus compatriotas en ese lejano país y le dolía la certidumbre de que, una vez capturadas, antes de ser deportadas a Colombia podían ser arrestadas bajo cargos judiciales. Esperó a que su acto finalizara y a que el lugar estuviera cerrado para reunirse en secreto con ellas. Las alertó y les propuso que salieran esa misma noche. Al principio no le creyeron. Ninguna aceptó fugarse, entre otras cosas porque temían caminar por sitios que no conocían y no tenían adónde ir. Estaba comenzando un invierno fuerte y la nieve ya caía sobre el país. Para convencerlas, Miguel Ángel les prometió huir con ellas, sacrificando el trabajo y la paga de esa *toka*. Sólo así accedieron.

Diseñó un sencillo plan de fuga que comenzaría a las tres de la mañana. Con una temperatura por debajo de los cero grados y la nieve cayendo pertinaz, caminaron durante tres horas hasta alcanzar un paradero de buses. De allí viajaron hasta Okayama. Un tren los llevaría de esta ciudad a la estación del Shinkansen, el tren bala que los dejó en la ciudad de Nagoya.

Mujeres a la carta

Miguel Ángel conocía a la perfección Nagoya, un hermoso puerto de la isla Honshū. El lugar es considerado uno de los primeros centros industriales del país, pues allí están asentadas multinacionales como la Toyota y empresas aeronáuticas, petroquímicas y textileras. Por eso es la urbe con mayor población flotante del Japón. Miguel Ángel había vivido en Nagoya. Por lo tanto, sabía adónde llegar con sus cuatro compañeras de aventura. Tiempo después se enterarían de que en efecto el operativo se había registrado a las ocho de esa mañana.

Cerca de un parque de nombre Sakae había un edificio de apartamentos en el que Miguel Ángel mantenía rentado el número 804, y que sólo utilizaba en sus días de descanso. El lugar era equidistante de sitios muy famosos, como el parque Ikedakoen y la torre de Nagoya, fácil de ver desde los ventanales del edificio que ahora ocupaba con sus amigas. Alrededor se encuentran los más grandes centros comerciales, pero también los *omisés* y *pinkos*, sitios dedicados a shows sexuales y de prostitución en los que trabajan colombianas y brasileñas en su mayoría.

Los *pinkos* son una singular modalidad del negocio del sexo. Paradójicamente, es por orden del propio gobierno que estos sitios sólo pueden ser usados para practicar el sexo oral y el onanismo, ya que la ley prohíbe de manera categórica y expresa que en ellos las parejas sostengan otro tipo de relaciones sexuales. Esta circunstancia fue aprovechada por las prostitutas, en especial por las astutas y maliciosas colombianas, que idearon mecanismos prácticos para violar la ley y las limitaciones oficiales. A fin de cuentas, lo prohibido vale más.

Los *pinkos* son en realidad pequeños locales similares a centros de atención médica que cuentan con una recepción atendida por un hombre y varios *shimpiras* al servicio de algún jefe yakuza. A lo largo de un pasillo se encuentran estrechos cuartos de unos tres metros por dos de ancho, con espacio justo para el *fotón*, una mesita y una silla. A la habitación más grande sólo tienen acceso las trabajadoras. Allí se sientan en el piso a la espera de ser llamadas por un parlante para que atiendan al *okeakusan*, el cliente. Los sitios cuentan con un total de diez a veinte mujeres, dependiendo del tamaño del establecimiento. Hay unos más elegantes y costosos que tienen cubículos para que cada mujer atienda de manera individual a sus clientes. Pero las colombianas prefieren los *pinkos* con cuartos generales, tal vez porque se les facilitan el encuentro y la camaradería con sus colegas y así de paso evitan la monotonía, el cansancio y la soledad.

Cada mujer es escogida en un catálogo de fotografías que el encargado de la recepción entrega al cliente. El álbum muestra primeros planos de sus rostros, así como poses diversas de cuerpo entero en las que aparecen semidesnudas. A las fotografías de cada mujer se les anexan el respectivo nombre, la edad y las medidas. Por lo general, las latinas mienten en estos datos, sobre todo en la edad: durante cuatro o cinco años mantienen la misma. Las colombianas también tienden a ocultar el verdadero color de sus ojos y cabello utilizando lentes de contacto importados de Estados Unidos a elevados precios y tintes que les envían sus propias familias desde su país, con los cuales no sólo cambian la apariencia y tono de su cabello, sino también del vello púbico. Con un producto químico llamado Bleach, que se consigue en cualquier supermercado de la ciudad, incluso intentan modificar el color de su piel dándole un toque más claro. Muchas sostienen que con esta misma crema logran darles un color rosado a sus pezones y a sus partes íntimas para complacer el singular gusto de los hombres japoneses.

Cuando las llaman es porque el cliente ha cancelado por adelantado la tarifa, que varía según el tiempo que vaya a utilizar: quince minutos pueden costar entre 5.000 y 7.000 yenes. De esta cantidad, las mujeres reciben entre 2.000 y 4.000 yenes, es decir, de 20 a 40 dólares. Para las colombianas este dinero puede resultar poco, si se tiene en cuenta que en otras modalidades la paga es mucho mejor. Sin embargo, cada una puede atender en un mismo día hasta cuarenta hombres. Llegar a una cifra como ésta puede convertir a una prostituta en la *ichiban* de la semana, o sea la número uno, reconoci-

miento que le otorga de inmediato el derecho a trabajar allí durante la siguiente *toka*.

Antes de entrar al cubículo, la mujer recoge una
canastilla llena de condones y *ochiboris* —toallitas
húmedas y refrescantes que sirven para el aseo de
manos, cara y pene del cliente. Esta limpieza es lo
primero que debe hacer una prostituta antes de comenzar su trabajo. Los condones deben ser utiliza-
dos incluso para el sexo oral.

Y es aquí donde las colombianas sacan a relucir el ingenio para ganar dinero extra con una sencilla pero efectiva estrategia que las prostitutas de
otras regiones han asimilado y también ponen en
práctica. Mientras que las japonesas, filipinas y ru-
sas se limitan al sexo oral, las colombianas tocan y
permiten ser tocadas, y realizan una especie de juego corporal que conduce a los hombres a un alto
grado de excitación, obligándolos a pedir un servicio adicional: la copulación. Temiendo ser escu-
chados a través de micrófonos por los encargados
del lugar, los clientes insinúan la petición por medio de una señal, pasando el dedo pulgar entre el
índice y el medio. También con los dedos, ellas les
explican cuánto deben pagar de más. Si el precio es
aceptado, deben cancelar antes de la penetración.

Este servicio, en todo caso, resulta más económico que acudir a una prostituta de las que trabajan en la calle. Este trabajo extra puede significar entre 5.000 y 10.000 yenes adicionales. Naturalmente, esta actividad ocurre a espaldas de los jefes y de los *shimpiras*, contratados, entre otras cosas, para vigilar que todo funcione como es debido. Si el servicio no deja totalmente satisfecho al cliente, las mujeres corren el riesgo de ser delatadas por él mismo, lo que se traduce en un inminente despido e incluso en una severa paliza. Si, por el contrario, el hombre expresa plena complacencia, se convertirá para la prostituta en un *requesto*, palabra malformada del inglés *request*, que traduce petición, solicitud. Efectivamente, en adelante, cuando regrese a ese *pinko*, sólo la pedirá a ella.

Los cazadores de ingenuas

Por considerarlo seguro, estable y rentable, el trabajo en el *pinko* quizás sea el más apetecido por las colombianas, en especial por aquellas que regresan a Japón luego de haber pagado las deudas adquiridas con quienes las trajeron: los *manillas*, malformación del inglés *manager*.

Los *manillas* pueden ser hombres o mujeres, japoneses, iraníes o colombianos. Su trabajo consiste en enviar dinero a Colombia para que otra persona bajo sus órdenes reclute a las jóvenes y las haga llegar a Japón. Todo ocurre bajo la coordinación y las indicaciones directas que ellos dan desde el Lejano Oriente. Hay diferentes niveles de *manillas*: los que están vinculados de manera directa a la Yakuza, los que se apoyan en la mafia para controlar a las mujeres y los que lo hacen sólo en ocasiones para aumentar sus ingresos.

Los que pertenecen a la mafia trabajan bajo las órdenes de un importante jefe yakuza, quien les proporciona el apoyo económico y logístico. Estos *manillas* cuenta a su vez con una organización de yakuzas de menor rango, *shimpiras* y contactos colombianos. Todos trabajan en equipo para planificar lo concerniente a la búsqueda, selección, entrega de viáticos y tiquetes, y por último, el traslado de las *talentos*, expresión con la que se identifica a las extranjeras que llegan bajo contrato.

Dado su poder económico y su violento accionar, los *manillas* yakuzas cuentan con la posibilidad de comprar *talentos* a otros *manillas*. Esto suele ocurrir cuando las mujeres se portan mal, no pagan a tiempo las cuotas de sus deudas o son descubiertas en relaciones amorosas con mafiosos iraníes o *shimpiras*. El negocio se hace por una cifra bastante inferior a la que el vendedor aspiraba a ganar con la muchacha si hubiese seguido con ella. De todos modos, la única perdedora siempre es la prostituta, pues de inmediato su nuevo «dueño» duplica el valor de la deuda adquirida por ella cuando aceptó viajar. Además, no se le reconoce lo que ya había pagado a su antiguo «propietario» y se le retiene el pasaporte. Como si fuera poco, debe escuchar un detallado memorando de «recomendaciones», que en realidad son amenazas de golpizas y, en casos extremos, de muerte. La mujer sabe que si intenta fugarse o incumple el pago de la deuda, las advertencias serán ejecutadas.

El segundo nivel de *manillas* está conformado en su gran mayoría por mujeres colombianas. Son ex prostitutas que llevan más de 15 años en el Japón y que se convierten en esposas de miembros de la Yakuza. Aprovechan, pues, los contactos y la logística de sus maridos. Ellos les facilitan algunos medios para ingresar las *talentos* y disponen de sus *shimpiras* para controlarlas una vez llegan a territorio nipón. Estas tratantes de blancas sobresalen por su inmediata agresividad ante el menor asomo de incumplimiento. Los nexos que tienen en Colombia les facilitan mantener control incluso sobre las familias de las muchachas. Los casos que se conocen de mujeres llevadas bajo engaños y falsas expectativas de trabajo al extranjero suelen estar relacionados con este tipo de *manillas*.

El último nivel corresponde a *manillas* independientes. Se trata de hombres y prostitutas colombianos que, gracias a las ganancias obtenidas en Japón a lo largo de un buen tiempo, invierten sus ahorros en el negocio. Intervienen de vez en cuando en el negocio, y haciendo gala de un ostentoso nivel económico, deslumbran a sus familiares, amigas o allegadas en Colombia, argucia con la que convencen a mujeres ingenuas de que busquen un mejor futuro en el país oriental.

Para lograr mayor efectividad en su labor, estos *manillas* deben viajar con frecuencia a Colombia. Se les facilita cuando figuran como esposas de ciudadanos japoneses y han conseguido visa de residentes en ese país. Así las cosas, entran y salen a su antojo cuando quieren. Pocas veces les ponen trabas, aun cuando viajen acompañadas de las mismas *talentos*. Al igual que en las modalidades anteriores, de por medio siempre hay un contrato verbal con la recién reclutada, en el que de una vez se acuerda la cantidad de dinero que la nueva prostituta deberá devolver en Japón. Él o la *manilla* le explica a su víctima que debe recuperar la inversión que hizo y obtener una ganancia por el supuesto favor que le hace introduciéndola en ese país y consiguiéndole trabajo. Por lo general, son estos *manillas* los que terminan vendiendo a sus víctimas a la Yakuza.

En Colombia se han detectado algunas personas que, sin llegar a ser *manillas*, están involucradas en el oscuro negocio de la trata de blancas con destino a Japón. Son hombres y mujeres que a cambio de unos 300 ó 400 dólares contactan jóvenes, en su mayoría de humildes hogares, para proponerles el «gran negocio» que cambiará su vida y sacará a sus seres queridos de la pobreza. Por lo general, estos intermediarios son amigos o conocidos de *manillas* colombianos. Nunca han ido a Japón, mucho menos hablan el idioma, y por sus escasos conocimientos sobre el mundo clandestino del sexo en ese país por lo regular mienten a las incautas jovencitas. Les prometen desde trabajos en restaurantes y fábricas hasta contratos de modelaje o servicios de compañía a altos ejecutivos.

Comoquiera que sea, no deja de ser un negocio rentable para cuantos intervienen en él. Los grandes capos de la Yakuza reciben porcentajes de sus subalternos por permitirles negociar con mujeres en sus zonas de dominio; los *manillas* reciben dinero a diario según se los van entregando los *shimpiras*, quienes a su vez ganan por cobrar, amenazar y golpear; los *sachos* cobran 5.000 yenes por entrada a sus teatros; los *kos* reciben comisiones por ubicar a las mujeres en los diferentes lugares para cada *toka*; los intermediarios en ambos países reciben su cuota; los funcionarios oficiales son pagados con generosas recompensas. Y las prostitutas, luego de varios años, terminan convertidas en damas infiltradas en niveles cercanos a la alta sociedad, y en algunos consiguen ostentar patrimonios que pueden superar los 1.000 millones de pesos.

Es, pues, una empresa tan o más rentable que la del narcotráfico, que cuenta con la ventaja de que sus participantes corren menos riesgos judiciales en Colombia y más posibilidades de éxito en el exterior, dados la permisividad, el desconocimiento del modus operandi y la falta de control de los países involucrados.

Un buen matrimonio: alcohol y placer

De las cuatro colombianas que Miguel Ángel ayudó a escapar del *guekillo* de Yunogo, dos viajaron a

Tokio para presentarse ante su *manilla* con la intención de ser reasignadas en otros locales y en nuevas *tokas*. Con gusto fueron recibidas por sus «dueños», pues para ellos su oportuna fuga significaba no perder la inversión. De haber sido capturadas, la deportación era segura, con el agravante de que habrían tenido que conseguir el dinero para el tiquete de regreso a Colombia. En algunos casos, *manillas* conmovidos por el drama de la prostituta capturada aportan el dinero para el viaje. Un mensajero japonés es el encargado de llevar los cerca de 130 mil yenes a la oficina de Inmigración, agilizando el engorroso trámite oficial. Pero cuando esto no ocurre, la mujer es obligada a permanecer en prisión trabajando en diversas tareas durante unos tres o cuatro meses. La paga no es otra que el equivalente del tiquete aéreo.

Las otras dos mujeres permanecieron en Nagoya, pues por casualidad su *manilla* se encontraba allí. Se trataba de Antonio, el jefe japonés que Miguel Ángel había conocido cuando trabajaba como *hosto* o prostituto en la Diana's Disco, en la ciudad de Chiba. Antonio les ordenó que se fueran a un apartamento que tenía en la calle Takatsuyi y que reservaba como vivienda temporal para las colombianas recién llegadas a la ciudad que mas tarde trabajarían en los *omisés*.

Antonio se contactó con Miguel Ángel por teléfono. Le habló durante algunos minutos y le agradeció por haber salvado a sus compatriotas de la captura y posterior deportación. Para un jefe yakuza, la detención de una de sus *talentos* puede desembocar en una investigación comprometedora, pues la capturada siempre es sometida a un interrogatorio policial durante el cual le preguntan sobre el *manilla* que la llevó a prostituirse a Japón. Cuando esto ocurre, la propia Yakuza, como organización, puede resultar involucrada en líos judiciales.

Antonio le reiteró el interés que tenía en hacerlo miembro de su organización, más ahora cuando el colombiano sabía bastante sobre el negocio. Estaba enterado del prestigio que Miguel Ángel había adquirido en el submundo del sexo y la prostitución, por los constantes comentarios que escuchaba de *sachos* y *kos*. A favor del latino jugaba también el hecho de que ya hablaba y pensaba como japonés, elemento del que carecía cuando se habían conocido. Miguel Ángel agradeció la llamada y el ofrecimiento, y no descartó la posibilidad de que algún día no muy lejano trabajaran juntos en cualquiera de las ramificaciones de la organización.

Mientras tanto, seguiría ejerciendo el *shirokuro* en los *guekillos* y haciendo espectáculos como *stripper* en *omisés* los fines de semana que tuviera libres. En Nagoya, Miguel Ángel logró su independencia de los *kos*. Él mismo empezó a *bukearse*, es decir, se autoprogramaba ofreciendo sus servicios directamente a los *sachos*. Así se ahorraba la comisión que debía pagar al *kos*, unos 2.000 dólares por *toka*. Ahora, por cada 10 días se ganaba hasta 7.000 dólares libres que sólo debía compartir con su pareja de turno. De sus ganancias invertía gran parte en comida, pues sus alimentos preferidos eran los frutos del mar, algo que le ayudaba a mantener la fortaleza física y mental necesaria para el continuo ejercicio sexual.

Esta independencia le facilitaría, además, trabajar durante los días hábiles que correspondían a su descanso después de las tres *tokas,* en una fábrica de pisos y techos de madera para apartamentos. Le permitiría también dedicarse a los negocios de compra y venta de mercancías extranjeras como ropa tailandesa, lociones, cremas y vestidos de los Estados Unidos, botas de cuero, ropa interior y lentes de contacto de colores, que vendía como pan caliente a las prostitutas sudamericanas.

Las dos jóvenes a quienes ayudó y que se quedaron en Nagoya fueron destinadas a un *omisé* de la misma ciudad, el Pantera Pub Club, distinguido por poner al servicio de la clientela las más lindas y esbeltas prostitutas colombianas y brasileñas. Por algo era administrado por una *mama san* oriunda del país carioca, ex amante de Antonio, según comentarios que ella misma solía repetir.

Los *omisés* son como bares de estilo europeo que, a diferencia de los *guekillos*, sólo abren sus puertas a partir de las siete de la noche y funcionan hasta la una de la madrugada o, en casos especiales, hasta las tres. En realidad son sitios pequeños con espacio para apenas diez o doce mesas repartidas en una pequeña sala, una barra para los pedidos de licor y comidas ligeras y una reducida pista para el karaoke, diversión muy apreciada por los japoneses. En el Pantera Pub Club hay además pista de baile, tal vez por la presencia de las colombianas y brasileñas.

En esos negocios llama la atención el buen vestir de las prostitutas. Casi siempre atienden trajeadas de ejecutivas, pero con faldas muy cortas, como lo exige la costumbre japonesa. La llegada de las latinas ha tergiversado esta tradición, pues donde ellas trabajan por lo general atienden en ropa más sensual, y en ocasiones en ropa interior.

A partir del momento en que el cliente llega, la mujer debe atenderlo satisfaciendo todas sus exigencias, sean del tipo que sean. Desde el cambio de un cenicero y la constante limpieza de la mesa hasta la entrega de los pedidos de licor y comidas. Incluso se ven obligadas a improvisar fuertes carcajadas para celebrar sus insípidos comentarios e insulsos chistes. Como si los clientes fueran reconocidos artistas, tienen que aplaudirlos con fervor cuando salen a la pista a cantar en karaoke. Por su parte, ellas a veces son animadas a interpretar una canción en japonés o en inglés, lo que puede representarles un buen *chipo* o propina.

Las prostitutas reciben paga por el solo hecho de estar allí. Si hacen *show time* de *striptease*, devengan una comisión adicional y una propina de la clientela. En los *omisés* no hay habitaciones para el sexo, pero ello no impide que durante la noche se presenten caricias mútuas, sobre todo cuando las parejas se encuentran bajo los efectos del alcohol.

Existen dos tipos de *omisés*, a los que las colombianas llaman «con salidas» y «sin salidas». En los primeros, el *sacho* permite a las empleadas flirtear con el cliente y salir con él en cualquier momento hasta un hotel. A esto se le dice «salir de *deito*». Para obtener la autorización de salida de la mujer, el hombre debe pagar una especie de impuesto al encargado del lugar. La razón es obvia: el cliente está privando al *omisé* de una prostituta. Ella, por su parte, debe regresar en el menor tiempo posible, pues el jefe necesita que atienda a otros hombres y los incite a consumir más. Salir de *deito* representa una ganancia que oscila entre 20 mil y 25 mil yenes. En ocasiones una prostituta alcanza a salir hasta tres veces en una misma noche. Dependiendo del tiempo que permanezcan con ellas, hay clientes que pagan hasta 80 mil y 100 mil yenes por un *deito*. Esto ocurre cuando la mujer acepta irse con él por el resto de la noche, o en ocasiones por todo un día.

A diferencia de este tipo de *omisé*, el segundo prohíbe a sus mujeres irse de *deito* con los clientes. Cuando una prostituta contraría esta norma, el *sacho* o la *mama san* del lugar la despide de inmediato.

En Nagoya, Miguel Ángel se encontró de nuevo con la bella Donny, la pereirana que había conocido a principios de año en el teatro de Kagoshima. En el preciso momento en que llegaba a una discoteca frecuentada por colombianos e iraníes, vio que frente a la entrada se había formado un corrillo para presenciar una golpiza que un iraní le propinaba a una caleña que trabajaba en las calles. Un incidente nada fuera de lo común, pues incluso con las prostitutas los iraníes imponen su tradición machista y no permiten que tengan comportamientos liberales. Paradójico, si se tiene en cuenta que ellos les dan el visto bueno para que se dediquen a esas actividades, no obstante su natural tendencia a protagonizar escandalosas escenas de celos como la que en esa ocasión estaba ocurriendo.

Miguel Ángel perdió interés por el episodio en cuanto descubrió entre los curiosos una cara que se le hizo familiar. Era Donny, quien estaba acompañada de otras paisanas. Cuando ella lo vio, se abalanzó sobre él y lo colmó de abrazos y besos en un emotivo saludo. Entraron juntos a la discoteca, bailaron y hablaron hasta pasada la medianoche. Él le contó que aún trabajaba en el *shirokuro* y ella le reveló feliz que hacía un mes había terminado de pagar la deuda que tenía con su *manilla*. «En diciembre voy a Colombia para las fiestas de Navidad y regreso en enero a Japón», le explicó. También le contó que había comprado una casa de 40 millones de pesos en Pereira, un taxi que manejaba su hermano y que había adquirido 10 millones en *traveler's checks* en un banco japonés. Ahora, ya pagada la deuda al *manilla*, se dedicaría a conseguir dinero para montar un estanquillo en Pereira. Era «libre» y quería dedicarse exclusivamente al trabajo en los *pinkos* hasta obtener una buena fortuna.

Ésa fue la última vez que se vieron. Años después Miguel Ángel se enteraría de que Donny había contraído matrimonio para obtener sus papeles de residencia, para lo cual debió pagar más de un millón y medio de yenes, unos 15 mil dólares, a un ciudadano japonés.

¿Qué hacer en vacaciones?

Comenzaba la primavera de 1996. La *sakura*, como se le denomina a esta estación, asomaba su belleza en los copos de los árboles y en la tibieza de sus mañanas. Se le llama así en honor a la flor del cerezo, símbolo nacional de Japón, pues abunda a lo largo y ancho de toda su geografía. La florecita sólo aparece en esta época del año, cubre la vida con un manto rosado e inunda el ambiente de una armonía sin igual que despierta el espíritu de fraternidad, amistad y perdón entre los japoneses. Se vive entonces una inusitada euforia que ni siquiera se percibe en la época navideña.

Miguel Ángel seguía trabajando de manera independiente. Había ahorrado una pequeña fortuna, pero se sentía agotado y estresado. Seguía atendiendo tres trabajos al mismo tiempo y el descanso que se permitía era muy poco. Se decidió, pues, por un *yazumi*, vacaciones por dos semanas, y de inmediato pensó en Eisuke, un veterano trabajador de la multinacional Toyota que por entonces se encontraba a punto de pensionarse. Este hombre de unos 60 años de edad se había convertido en una especie de «papá japonés» para el colombiano, pues además de consejero y guía le servía de garante cuando quería rentar apartamentos o vehículos, y lo asesoraba en cualquier tipo de diligencia legal. Llegó a ser su mejor amigo en Japón. Con él compartía sus más grandes pasiones: paseos al mar y a sitios turísticos, y todo lo concerniente a mujeres.

A pesar de su edad, Eisuke tenía fama de buen amante entre las prostitutas de los teatros, de los cuales era asiduo visitante. Era el campeón del *jan ken pon*, el tradicional y milenario juego japonés cuyo ganador obtiene como premio una mujer a la que debe hacerle el amor en público, en pleno teatro atiborrado de gente.

Antes del reencuentro, Miguel Ángel tenía claro que con el *oto san*, como solía decirle cariñosamente por su edad, se vería en la obligación de recorrer las calles de la prostitución, algo que al colombiano poco le gustaba pues sabía que las latinoamericanas que trabajan en el oficio sienten vergüenza cuando un compatriota las descubre en tales condiciones. Pero la visita era inevitable, pues era una de las pasiones predilectas del viejo amigo nipón. Le gustaba mirar a las mujeres nuevas que trabajaban en la calle, detallar cómo vestían y qué tan jóvenes parecían. También le alentaba la posibilidad de descubrir entre ellas a una antigua amante de Tokio o a una amiga que recién hubiese regresado de Sudamérica. Eisuke sabía que muchas colombianas regresan a Japón hasta tres o cuatro veces, luego de haberse despedido con la promesa de que no volverán. A varias de ellas el viejo no sólo les había dado jugosos regalos y dinero en efectivo, sino que las había acompañado hasta el aeropuerto para despedirlas en medio de escenas de lágrimas y sollozos dignas de una telenovela. Pero se las encontraba de nuevo, en la misma calle y en la misma pose de prostituta, esperando con una sensual prenda la llegada del ávido cliente que la recogiera en su auto y la llevara al hotel más cercano.

En esa ocasión Miguel Ángel y el viejo fueron directo a la calle Lidabashi, la más famosa de la ciudad. Es una avenida de unos 300 metros —de dos o tres cuadras— en la que fácilmente se pueden contar hasta sesenta mujeres en grupos de tres o cuatro. El horario para ellas comienza a las siete de la noche, y puede extenderse hasta las cuatro o cinco de la madrugada. Los clientes suelen recogerlas en automóviles privados, pese a que los hoteles están ubicados en la misma calle, muchas veces enfrente de donde ellas se paran. Los *love hotels* no son hoteles comunes y corrientes de hospedaje: sirven exclusivamente para el negocio del sexo. Cuentan con todos los acondicionamientos necesarios y sus tarifas oscilan entre 70 y 100 dólares, dependiendo de las comodidades adicionales y opcionales.

La calle es compartida por mujeres de diversas nacionalidades, como colombianas, chilenas, peruanas, mexicanas y japonesas. Las colombianas sobresalen como las más lanzadas y avezadas en el juego

del *fleteo*, expresión que designa el coqueteo inicial con el que se atrae y convence al cliente para
que contrate sus servicios. «Oni san, ¿doko iku?
¿Asobi ikimasuka?», suelen repetir al paso de un
automóvil que marcha lentamente, o ante un transeúnte que las mira con disimulo. Esta frase podría
traducirse como «Amigo, ¿adónde va? ¿Va de paseo?», y aunque no suena tan directa, insinúa cla-
ramente una cortés invitación a hablar. Lo hacen de
esa manera previendo que el potencial cliente pueda ser no una persona cualquiera, sino un policía
de Inmigración vestido de civil, caso en el que pueden ser arrestadas de forma inmediata. Cuando el
hombre da muestras de interés en la conversación,
se acerca y pregunta: «¿Ikura desuka?», que traduce «¿Cuánto es?». Entonces la prostituta puede
dar a conocer sin temores su tarifa: 25 mil yenes.
Previendo las rebajas que casi siempre les supli-
can, optan por pedir de entrada 35 mil yenes. El
arreglo económico depende también del tiempo y
la clase de servicio. Es ahí cuando las colombianas
usan su ingenio, pues ofrecen un catálogo erótico
más extenso y lleno de virtudes, que sus colegas no
se atreven a recitar. El pago debe hacerse efectivo
una vez ingresan a la habitación del hotel. Para las

prostitutas callejeras, un buen día es aquel en que consiguen entre siete y doce hombres. Pero pueden darse casos de días que pasan en blanco.

Los riesgos de la calle

Justo en medio de la avenida, Eisuke descubrió a una joven con la que había mantenido relaciones meses atrás. Miguel Ángel también la conocía. Era Cristina. Con ella había actuado en un teatro de Tokio. Se sorprendió de verla ofreciéndose en la calle, y al respecto le preguntó cuando se acercó para saludarla. La caleña se mostró apenada, pero aun así dejó traslucir cierta alegría. Sorprendida por el inesperado encuentro, le comentó que llevaba varios meses trabajando en las calles, no sólo en Nagoya sino también en Tokio, donde había recorrido las más renombradas casas de prostitución. Le contó que con sus actividades en los teatros y *omisés* había logrado pagar la deuda al *manilla*, y que ahora en la calle buscaba ganar dinero en mayor cantidad y en el menor tiempo posible.

Dos veces había escapado de la policía de Inmigración. La primera de ellas en la calle Shinokubo de Tokio, la más conocida y visitada por los clientes del sexo de la ciudad. Había sido un alto precio a su novatada, pues recién llegada ofreció sus servicios a un cliente con una pregunta demasiado directa: «¿Hoteru iku?», es decir, «¿Vamos al hotel?». Contó con tan mala suerte que el supuesto interesado era nada menos que un policía encubierto, quien de inmediato esgrimió su identificación oficial. Cuando el agente sacó de su bolsillo trasero las esposas, la confundida Cristina echó a correr tirando a un lado sus zapatos de tacón alto y alertando a gritos a las demás prostitutas que se encontraban en el lugar. «Inmigración, Inmigración», gritaba la asustada caleña, mientras huía rauda y veloz. Desesperada, tomó por la calle Fuji Jinkuwo y buscó El Son de Azúcar, discoteca de un japonés de la Yakuza conocido como Doi. El lugar era frecuentado por colombianos, peruanos e iraníes, y servía de escondite a las prostitutas perseguidas por los uniformados, pues encontraban refugio en la oscuridad del sitio.

Cristina protagonizó su segunda fuga en la calle Ikebukuro. Esta vez la policía había planeado un detallado operativo para detener y deportar a unas sesenta colombianas que ocupaban los andenes de la avenida. Pero los detalles de la gigantesca operación se filtraron y un *shimpira* enviado por un jefe yakuza alcanzó a alertarlas minutos antes de que comenzara la acción oficial. Cristina escapó en una bicicleta que había comprado especialmente para casos como ése. Cabe aclarar que casi todas se movilizan en bicicleta desde sus apartamentos hasta sus sitios de trabajo. Así, además de economizar dinero en transporte, garantizan una alternativa de fuga rápida y efectiva, pues pueden escapar en contravía o perderse en pequeños callejones.

En esa oportunidad Cristina pudo ver cómo tras ella quedaba un caos indescriptible en el que se confundían patrullas policiales, agentes y mujeres que despavoridas corrían entaconadas o a pie limpio de un lado a otro. Según le contó a Miguel Ángel, de aquella redada veinticinco resultaron capturadas y luego fueron deportadas a su país.

Con el tiempo, Cristina había aprendido a sobrevivir en ese medio. Aunque el ejercicio de la prostitución ofertándose a los transeúntes es la más rentable de las modalidades del trabajo sexual en Japón, también resulta la más peligrosa por las acciones policiales, las bajas temperaturas que hay que enfrentar, la aparición de clientes con extrañas y peligrosas aberraciones y la presencia de *shimpiras* que acechan y amenazan con golpizas. Para una joven como Cristina, el «sueño japonés» puede terminar fácil y rápidamente en una calle.

Muchas han caído en operativos de Inmigración sin haber superado los 15 primeros días de trabajo en suelo nipón. Como de todas formas queda una deuda económica sin saldar, los *manillas* se encargan de conseguirles nuevos documentos para entrarlas otra vez y así recuperar su inversión. Este sistema de cambio de documentos es reiterativo y las prostitutas lo usan con frecuencia cuando conocen los contactos que los *manillas* tienen en sus países de origen y han aprendido a utilizar sus métodos ilegales.

El peligro que representan los *shimpiras* es diario y continuo. Estos matones trabajan bajo órdenes de un yakuza que se apropia de algún sector público donde se ubican las mujeres. Su misión principal es cobrar una especie de impuesto obligatorio para la prostituta que haya decidido laborar allí. Así estén independizadas y hayan saldado su deuda con el *manilla*, ellas deben pagar por una supuesta protección. Cuando una se atreve a preguntar de quién las van a proteger, los *shimpiras* responden con descaro: «De nosotros», y proceden a golpearla para que entienda la lección y sepa que la amenaza va en serio.

El impuesto oscila entre 3.000 y 5.000 yenes, dependiendo de la ubicación y concurrencia de la calle. El pago debe hacerse a diario. El *shimpira* de turno comienza el recorrido por el sector entre las ocho y diez de la noche acompañado de dos compañeros y con una lista donde aparecen los nombres de todas las mujeres que frecuentan la zona. Si una de ellas no llega, al día siguiente deberá pagar el impuesto por el día que no se presentó a trabajar más el de la nueva jornada. Cuatro incumplimientos en el pago pueden ocasionar no sólo maltrato físico y de palabra sino la expulsión de la calle. Si una prostituta nueva no se reporta de inmediato, es golpeada: ellos presumen que les está robando. Estos cobradores «profesionales» siempre andan en grupo y armados de bates de béisbol de aluminio o madera, y en casos extremos, de cuchillos y *katanas*, nombre de las espadas japonesas. Es extraño que los *shimpiras* puedan ejercer su control y sus represalias en completa impunidad, sin ser requeridos por los policías que constantemente patrullan los sectores donde se ejerce la prostitución.

Miguel Ángel recordó el caso de Jeimi, joven bogotana que conoció en el apartamento de una amiga común, en Nagoya. Estaba allí mientras se recu-

peraba de las lesiones infligidas por un *shimpira*.
Según contó, una gripe adquirida durante el fuerte
invierno la obligó a quedarse en casa y no pudo
asistir durante tres días seguidos a la calle donde
trabajaba. Cuando pudo regresar, fue abordada por
uno de estos cobradores, que no sólo le reclamó por
las ausencias sino que le exigió el pago de los tres
días de impuesto, pese a que las demás mujeres le
habían advertido de la enfermedad de su colega.
Jeimi se negó a pagar, primero porque no tenía dinero, y segundo porque su ausencia fue obligada.
El *shimpira* la golpeó salvajemente en el rostro, y
luego un segundo hombre que se encontraba esperando sacó un bate de la cajuela del auto y la
emprendió a garrotazos contra la indefensa mujer.
Todo ocurrió ante la mirada de las demás prostitutas, transeúntes y clientes que deambulaban por
el sector.

Es una escena que se repite con frecuencia en
las zonas de tolerancia de las principales ciudades
de Japón. Jeimi sufrió fracturas en sus piernas, rom-
pimiento del tabique y dislocación de la mandíbu-
la. Permaneció encerrada en el apartamento de su
amiga, viviendo de la caridad de sus coterráneas y
sin posibilidad de dar aviso a su familia en Bogotá,
y mucho menos a las autoridades policiales, que a

cambio de castigar a los culpables la habrían entregado a Inmigración para que iniciara el proceso de deportación. Tres meses después, ya recuperada, se sintió con fuerzas para volver a ejercer su oficio.

Otro riesgo que las persigue al ofertarse públicamente es el de encontrarse con individuos que una vez están a solas con ellas en una habitación sacan a relucir sus perversiones y aberraciones sexuales. Como aparentan ser personas normales, ellas aceptan sin ningún reparo y los acompañan al hotel. Se conocen casos de sujetos que las obligan a inyectarse heroína o a aspirar humo de cristal (cocaína cristalizada). Una vez sus víctimas se encuentran bajo el efecto del estupefaciente, abusan de ellas para luego huir del lugar sin pagarles un yen.

Ante el incremento de estos casos, las colombianas han optado por andar en grupos de tres o cuatro, y usan un sencillo sistema de comunicación para alertar a sus compañeras si están en peligro: las que están afuera saben que si pasado un determinado tiempo no hay señales de la que está con el cliente, puede estar ocurriendo algo extraño; o quien corre el riesgo simplemente anuncia que se encuentra en aprietos mediante un grito. El hecho de permanecer en grupos también les permite detectar con mayor rapidez la presencia de uno de estos personajes, pues puede ocurrir que una de ellas lo reconozca por haber sufrido sus abusos con anterioridad. De ser así, de inmediato alerta a las demás.

Pero no sólo los hombres constituyen un factor que juega en contra de la seguridad, salud y permanencia de las colombianas en las calles del Japón. Las bajas temperaturas de otoño y de invierno se convierten en el enemigo número uno. Si salen a ofrecerse muy cubiertas de abrigos y ropa especial para el frío, el cliente puede no fijarse en ellas. Por lo general, las temperaturas inferiores a 10 grados las obligan a salir con gorro, orejeras, guantes, abrigos largos y botas. Atraer la atención en estas circunstancias es casi imposible. La nieve no sólo dificulta aún más el trabajo, sino que reduce la demanda. La presencia de gente en las calles es escasa y automáticamente se rebajan las tarifas. Cuando algunas deciden usar trajes más ligeros y sensuales, corren el riesgo de contraer fuertes gripes y hasta pulmonías que las obligan a permanecer en casa por el resto de la temporada invernal. Deben entonces vivir de los ahorros, de la caridad de las amigas o de préstamos de los *manillas*. La deuda con éstos se incrementa y la posibilidad de terminar el pago se hace más lejana.

Todos estos elementos hacen que las trabajadoras callejeras sufran en alto grado de estrés. Poco a poco, por consejos de amigas, de los mismos clientes o por iniciativa propia, intentan buscar salida en el consumo de drogas o de alcohol. Con frecuencia se vuelven adictas y es muy común hallarlas ebrias, bajo los efectos de la marihuana, el hachís o la cocaína que consiguen de manos de los distribuidores iraníes y colombianos.

La peor prostituta de la Yakuza

Cindy es de las pocas colombianas que, teniendo estudios universitarios, han viajado a Japón a prostituirse. De 23 años de edad, esta mercaderista de profesión se dejó convencer de un *manilla* ocasional, de esos que en realidad no saben cómo funciona el negocio en Japón, y terminó en un callejón de ese país vendiendo su cuerpo. Según lo considera ella en la actualidad, esta experiencia es lo peor que le ha pasado en su existencia. Una pesadilla que la perseguirá por el resto de sus días.

Después de dos años de prostituirse regresó a Colombia con muy poco dinero y con la dignidad y la autoestima por el suelo. Sin embargo, poco a poco fue superando sus traumas hasta convertirse en una líder infatigable que con el relato de su experiencia busca evitar que otras jóvenes caigan en el mismo error fatal. Actualmente trabaja con el Estado, y su testimonio ha impedido que otras muchachas viajen engañadas y terminen padeciendo lo que ella sufrió.

Cindy no hizo parte de las «promociones» de Antonio ni de Miguel Ángel. El hombre que la convenció en Pereira, en 1999, le explicó que se trataba de hacer desfiles en ropa interior en discotecas y bares de Tokio. Sin embargo, desde su llegada a la capital nipona fue enviada a la calle Ikebukuro, la misma que se convertiría en el escenario de su infierno.

Su testimonio, por sí solo, describe con detalles otra de las caras oscuras y pérfidas del llamado «sueño japonés». Su relato es una fiel muestra de que no todo termina en color de rosa ni que todos los sueños acaban convirtiéndose en realidad.

«Trabajaba en Pereira. Me desempeñaba como mercaderista en un almacén de cadena. Por esa época no eran tan malos los sueldos. El mío superaba en algo el salario mínimo. Pero las deudas sumaban más de lo que ganaba. Al poco tiempo empecé a desesperarme. Buscaba nuevas expectativas, un nuevo trabajo, y finalmente decidí dejar mi empleo. Yo laboraba de lunes a sábado, y el fin de semana trabajaba en una discoteca. Pensé ir a los Estados Unidos, pues allí estaba radicado mi novio, que trabajaba en una base aérea. Pero el problema era que mi ex esposo vivía en España y no me daba el divorcio.

»Por entonces un amigo y varias personas más me preguntaron adónde quería ir. Cuando lo supieron me dijeron que era más fácil viajar a Japón. Me manifestaron que allí podría actuar como bailarina en una discoteca, con ropas muy ligeras, con bóxer y brasier. Yo contesté: "No importa". Traté de sondear en la cara del tipo, y me dije: "No creo que me mande a un sitio malo". Me preguntó si tenía pasaporte, y como no lo tenía, hicimos el trámite. En una semana arregló el problema de los documentos y me compró de todo, incluso la maleta. Sin embargo, yo no quise recibirla. Me ordenó quitar las marquillas de la ropa, pues podían revelar mi procedencia. Luego hizo los trámites y la reserva y me advirtió que saldría con pasaporte colombiano, pero que en otro país tendría que cambiarlo por uno holandés que él mismo me dio.

»Viajé sola en un avión de Lufthansa. La ruta arrancaba en Bogotá, pasaba por Amsterdam y

Frankfurt y terminaba en Tokio. En el camino pensaba: "Con este trabajo compraré una casa; voy a salir de pobre, voy a ayudar a mi familia… Mi hija está pequeñita, pero desde ya le voy a asegurar la universidad". Ése es el tipo de ilusiones que tienen las mujeres que viajan al extranjero en busca de un futuro. En Holanda el vuelo se atrasó cinco horas. Por ese motivo, la persona que debía esperarme en el aeropuerto de Narita, en Tokio, se marchó antes de que yo llegara. Debe haber pensado que me habían devuelto. Como no podía hacer otra cosa, esperé. Después de cinco horas llegaron por mí. Un extranjero y una colombiana me recibieron en su casa. Yo estaba cansada y ellos me atendieron muy bien. Me decían:

»—Vas a comer, te vas a dar una ducha de agua caliente.

»Todo era normal. Iba a preguntar por mi trabajo, pero me dijeron:

»—Mañana hablamos.

»Al día siguiente comenzó la pesadilla. La mujer me cambió el color del cabello, me lo puso blanco, sacó un cerro de maquillaje y me pintó, me mostró una montaña de minifaldas y me dijo:

»—Como estamos en verano, te guste o no, tienes que ponértelas.

»Yo le dije:

»—Lo que pasa es que soy muy culona, y me da pena porque la falda se me alza por atrás.

»Y ella me contestó:

»—Mejor: más rápido vendes.

»Yo no sabía nada y me daba miedo hablar. Después de maquillarme me montó en una burbuja de vidrios polarizados y me llevó a una calle donde sólo había hoteles. Yo no soy la madre Teresa de Calcuta: "Tan extraño —pensé—. Si sólo hay hoteles es que pasa algo raro". Empecé a ver caras latinas. Todas estaban paradas en la calle, igual como ve uno en Bogotá, en las noticias, en la televisión. Entonces comprendí. "¡Dios mío, me toca putiar! ¡Dios mío!...", pensé. Le dije a la mujer:

»—Yo vengo a bailar.

»Y ella contestó:

»—Pues claro, vas a bailar, pero con un tipo, en el hotel.

»Me puse a llorar. Ella me dijo que si pretendía conseguir plata inspirando lástima me iba a morir de hambre.

»No sé de dónde saqué fuerzas y empecé a venderme. Poco después me presentó ante la gente de la mafia. Había un tipo que hacía el "control de calidad", y si una le gustaba se la llevaba para utilizarla durante un mes, en el momento que él quisiera y a la hora que le diera la gana. Y si una no accedía, le pegaba con un bate de béisbol de aluminio. Por fortuna no le gusté, no era su tipo.

»El primer día me paré en cualquier lado. Era un sitio rodeado de hoteles. No había nada de comercio, no había nada… excepto un supermercado en una esquina. Los hombres que pasaban por ahí sabían lo que buscaban, sabían que era un sector de prostitución. Unos iban en carro, otros caminando, en moto o en bicicleta. Como era verano, hasta en patines se movilizaban. Yo lloraba y la mujer se quedó por ahí pendiente de mí. Yo no quería atender a nadie. Pensaba que era lo peor. Pero ella me obligó. *Fleteó* un tipo y le dijo:

»—Mire, ella es nueva. Mire cómo es de bonita, cómo tiene los senos, la cola, el estómago, la cara, los crespos…

»Echó todo un discurso para venderme. El cliente, después de observarme, dijo:

»—Bueno, vamos.

»Me puse a llorar, como si fuera la primera vez que iba a tener sexo. La mujer nos acompañó hasta el hotel y le dijo al hombre:

»—Si necesita algo, voy a estar afuera.

»Y allí se quedó, detrás de la puerta, esperando. En la habitación yo no me quería quitar nada. Él me hablaba y yo no entendía. Seguramente me decía que me desnudara. Yo le suplicaba:

»—No, no sex. Sex no…

»Se lo dije de mil maneras, pero al final tuve que acostarme con él. Se me escurrían las lágrimas mientras el tipo hacía lo suyo encima de mí. Cuando salimos, el pobre no quería volver a verme. Creo que fue el peor polvo de su vida.

»Después de que estuve con otros hombres, por fin me relajé. Me figuro que eso nos pasa a todas, porque toca: no hay otra salida. Cuando asumí mi condición, conseguí un lápiz y una agenda y empecé a decirles a los clientes que me enseñaran a hablar el idioma. Algunos me decían:

»—¿Usted viene a culiar o a estudiar?

»Yo les contestaba:

»—¡Cómo así! ¡Enséñeme a hablar!

»Hice algunos amigos que me aconsejaban que me regresara a mi país o que fuera a la embajada. Lloraba con todos. Muchos no se acostaban conmigo por pura lástima. Pero también atendí a sujetos con aberraciones. Algunos llevaban látigos para

142

que los azotara; otros tenían heroína y en el hotel querían que yo les apretara el torniquete para inyectarse. Vi casos horribles. Nunca hubo un momento feliz en ese país… O sí, uno solo, el día que me fui a rumbear. Claro que me costó una multa de 400 mil yenes…

»Yo trabajaba desde las diez de la noche hasta las cinco de la mañana y recibía 20 mil yenes por hora. La *manilla* me decía: "Debe atender cuatro por noche, mínimo tres". A ella tenía que pagarle 20 mil, y además estaban los gastos de la comida y lo que debía cancelarle a la mafia. La quinta parte de lo que ganaba era para mí. De todos modos, yo siempre prefería atender máximo a tres clientes. Cuando terminaba me iba a esperar el tren, y mientras lo hacía me comía un pedazo de pollo.

»Nunca llegó a parecerme normal acostarme con un tipo que acababa de conocer. Una noche, un mafioso de la Yakuza pasó por la calle y yo le gusté. Sentí temor. Estaba todo tatuado, todo pintado, tenía la cabeza rapada y le faltaban tres dedos. Era de lo peor. Me dio tanto miedo que salí corriendo y me escondí en el supermercado. Pero él me siguió para insistirme que tenía que acompañarlo. Entonces le dije:

»—No quiero.

»—Tiene que ir —me contestó.

»Como era un mafioso, me tocó ir obligada. En la habitación lo miré con más detenimiento y me figuré que era el peor de los *shimpiras*. Yo me decía: "Si no lo hago, me va a matar, me va a matar". El hombre me ordenó:

»—Desnúdese. Esta vez lo vamos a hacer sin condón.

»Yo pensé: "Si no me mata de sida, me mata con sus manos". Ya estaba desnuda cuando no lo soporté más y salí corriendo, así, en cueros. El mafioso me alcanzó. Tuve que arrodillarme y pedirle perdón por no haberme gustado. No me golpeó, pero me obligó a trabajar un mes gratis para él y sus amigos. A la hora que ellos quisieran, siete veces al día, prácticamente sin dormir, a veces sin comer. Si no lo hubiera hecho me habrían pegado. Ellos usan botas con punteras de acero, bates de aluminio y cadenas… No sé cuántas veces me acosté con ellos. Lo hice por mi hija. Fue una experiencia que nunca olvidaré.

»Cuando me cogía el desespero leía la Biblia. Sufría mucho y todo lo que sentía lo escribía. Yo soy inteligente, no soy como las otras que conocí por allá. Ésas sí eran ignorantes. Cuando estudiaba, me destaqué en el colegio y en la universidad.

»Muchas veces me dieron ganas de acabar con la *manilla* echándole veneno en la comida. Cierta vez en que me pidió que le tinturara el pelo, le puse demasiado tinte y se quedó calva. Fue una gran satisfacción para mí. Ella peleaba conmigo todos los días y reclamaba por los colombianos. Me decía: "No quiero tener nada que ver con colombianos". Nos odiaba. A las otras muchachas que llegaban a esa casa las enviaba a trabajar a los teatros. Sólo a mí me envió a trabajar en la calle.

»Siempre fui rebelde. Me miraba al espejo y me sentía mal. Lamentaba mi suerte. Me acordaba de mi novio, del deseo sexual que sentía por él, de la universidad, de mi familia, y me sentía tan mal...

»Cuando estaba por finalizar mi contrato, la *manilla* dejó de vigilarme. Se iba a las doce de la noche para vigilar a otras. Entonces pude trabajar dos meses para mí sola. Así hice más dinero, "prosperé" como prostituta. Eso no quiere decir que me haya hecho rica. De haber sido así habría cambiado mi vida, yo habría cambiado como persona.

»Mi deuda era de 100 millones de pesos, y cada 10 días debía pagar 4 millones. Bien visto, el mío no era el peor caso: conocí a una chica paisa de 20 años que debía 300 millones de pesos en multas. Después de pagar la deuda, con lo que ahorré pude comprar un tiquete. Con unos pesos que me quedaron me hice en Colombia a una casa de 20 millones.

»Cada vez que recuerdo mi pasado me siento como una basura. Siento que fui utilizada. Mi vida sentimental y laboral anda todavía al revés. Todo cambió en mi vida. Japón afectó hasta la raíz mi vida personal. Me acosté con muchos… no es fácil decirlo. A veces, cuando duermo, sueño que estoy con todos esos hombres; entonces despierto y veo a mi hija al lado. Lloro cuando reconozco la realidad. Sé que al menos estoy en mi casa y no allá, sufriendo.

»Cuando recuerdo esa parte negra de mi pasado me da por pensar que fui la peor prostituta de la mafia Yakuza…».

La última *toka*, el último *shirokuro*

Miguel Ángel y Eisuke se a reunieron el siguiente fin de semana. Como siempre, visitaron los lugares de placer nocturno y compartieron nuevas aventuras. Volvieron a encontrarse con Cristina, quien les contó que ante la intensificación de las batidas policiales estaba planeando irse de Nagoya. Tenía pensado trabajar en los llamados *deito club* u «oficinas», nombre que se les da a unos sitios que efectivamente funcionan como oficinas del sexo.

Estos negocios son administrados por miembros de la Yakuza y consisten en servicios sexuales a domicilio que se contratan vía telefónica. El interesado solicita una mujer especificando sus gustos, es decir, declara si la requiere alta, rubia, trigueña, bajita, pelirroja o delgada. En la misma llamada establece el tiempo que permanecerá con ella, pues de esto depende la tarifa; a más tiempo, más dinero. Generalmente la «oficina» cuenta con una base de datos de su clientela, en su mayoría integrantes de la misma organización.

Las mujeres permanecen en la «oficina» a la espera de ser llamadas. Un hombre las transporta en un automóvil hasta donde se encuentra el solicitante. El *shimpira* de turno la acompaña y la entrega, momento que aprovecha para recoger el dinero. Ella debe reportarse tan pronto termine el servicio para que la recojan de nuevo y la regresen. Al llegar, el encargado de la «oficina» le paga. Por lo general le corresponde el 70 por ciento de lo que ha cancelado el cliente. Los precios de este servicio oscilan entre 25 mil y 40 mil yenes.

Aunque clandestina, ésta es una modalidad segura de ejercer el oficio, pues es controlada directamente por la Yakuza, y los *shimpiras* se encargan de proteger a las mujeres. Algunos permiten que las trabajadoras permanezcan en su respectivo apartamento mientras son llamadas por la *mama san* o quien haga las veces de patrón. Les avisan que las van a buscar para llevarlas hasta donde está el contratante. De esta manera se evitan también la sorpresa de un operativo policial. Las «oficinas» funcionan todos los días de la semana. Pocas colombianas trabajan bajo esta modalidad, quizás porque deben comprometerse a una disponibilidad de 24 horas. Cristina terminaría trabajando en una «oficina» de la ciudad de Chiba, atraída por la presencia de otras cuatro compatriotas.

Pero no todo fue rumba y placer para Miguel Ángel. Aprovecharía el merecido descanso para meditar sobre sus planes futuros. Desde que se había despedido de las chicas a las que salvó del allanamiento policial, la propuesta de Antonio no dejaba de darle vueltas en la cabeza. Decidió llamarlo para concretar un encuentro personal. Parecía que Antonio estaba esperando la llamada. Lo saludó efusivo y lo citó para una semana después.

La reunión sería allí mismo, en Nagoya, en el Pantera Pub Club, el *omisé* que administraba la *mama san* brasileña.

Llegado el día, a las diez de la noche timbró el celular de Miguel Ángel. Antonio lo esperaba en el club. Lo saludó como si se tratara de un viejo amigo. Lo colmó de elogios y atenciones y lo presentó ante el personal como su nuevo hombre de confianza. Miguel Ángel no salía de su sorpresa, pues hasta ese momento el japonés no le había insinuado nada sobre los planes que tenía para él. Tampoco se atrevió a preguntarle y prefirió actuar con precaución y cautela mientras analizaba la personalidad del oriental. Temía terminar involucrado en líos con la mafia, pues cualquier negativa a una eventual propuesta podía ser mal tomada. Sospechaba que el jefe yakuza pretendía reclutarlo como uno de sus *talentos* para manejarlo a su antojo en los diferentes establecimientos. Pero esa noche el tiempo se desperdició en elogios y risas, y no quedó tiempo para las propuestas laborales. De todas formas, concretaron una nueva cita. Entonces el enigmático japonés sacaría el as que mantenía oculto bajo la manga.

Se encontraron a las siete de la noche en un restaurante brasileño, y de allí se fueron al casino. Antonio le regaló 100 mil yenes, cerca de 1.000 dólares, para que lo acompañara a jugar. Se divirtieron durante más de tres horas, al cabo de las cuales salieron hacia una discoteca. El japonés pidió una botella de Hennessy, y con el primer brindis por fin habló de los planes que tenía para el colombiano. Le preguntó cuándo pensaba regresar a su país, pero Miguel Ángel no supo darle una fecha precisa: en todo ese tiempo no había pensado nada al respecto. Mirándolo fijamente a los ojos, como es costumbre entre los orientales cuando se refieren a asuntos importantes, Antonio le dijo que lo consideraba un hombre de su absoluta confianza y que sentía admiración y respeto por los trabajos que venía ejerciendo en su país.

Le propuso entonces que lo representara en Colombia, o en cualquier otro país sudamericano, en el negocio de las mujeres. «Omae wa ore no me, ore no mimi, ore no cuchi, to ore no te Colombia hoshi yoo», le explicó en su idioma («Necesito que usted sea mis ojos, mis oídos, mi boca y mis manos en Colombia»). «¿Puede?», insistió. Antes de darle una respuesta, Miguel Ángel preguntó por su sueldo en esta nueva labor, y el jefe yakuza le explicó que no iba a ser más de lo que ganaba en Japón, pero sí lo suficiente como para vivir muy cómodamente en Colombia. Además, le aclaró, se trataría de un trabajo muy descansado, pues no tendría que someter su cuerpo al extenuante esfuerzo físico que implica el diario trajín sexual del *shirokuro*, aparte de que no tendría que ocuparse más de sus otros dos trabajos temporales.

La respuesta no fue inmediata. Antonio le dijo que podía tomarse el tiempo que necesitara para meditar el asunto, pero le pidió que resolviera las cosas lo más rápido posible. Miguel Ángel prometió darle una respuesta antes o durante el mes de noviembre. Quedaban cuatro meses y tenía muchas cosas pendientes que organizar y resolver. En especial, tenía ya programadas presentaciones en diferentes localidades, con cuyos *sachos* se había Comprometido tiempo atrás. Acordaron seguir hablando esporádicamente, y así ocurrió.

Miguel Ángel comenzó a interesarse más por sus asuntos contables en Colombia, previendo la inminencia de su regreso. Poco a poco fue descubriendo irregularidades en el manejo de los giros que desde años atrás había estado haciendo desde Japón. De otro lado, una buena cantidad de dinero se había perdido en los paquetes que llegaban a Pereira, Medellín y Armenia. Muchas veces, mercancías que mandaba para negocios o para organizar su vivienda en Colombia terminaban en manos de funcionarios de los correos nacionales, que por lo general cambiaban el contenido de los paquetes por objetos ya viejos y usados, dejando para ellos los recién comprados.

Viajó a Tokio a cumplir compromisos en algunos teatros de la ciudad y en dos *oncen* cercanos a la capital. Una mañana, antes de comenzar su rutina en el *guekillo* Warabi os, cuando llamó a Colombia para verificar la llegada de un giro, se enteró de que el dinero se había perdido a pesar de que el paquete había llegado a su destino. Investigó con la ayuda de amigos en Colombia y descubrió quién se apropió del dinero. Ese día tomó la decisión irrevocable de regresar lo más pronto posible a su país.

Cumplida su última gira en Tokio, regresó a Nagoya para comenzar a organizar su viaje. Recogió sus cosas personales más importantes y necesarias. Unas las envió por vía marítima, y otras de menor valor las regaló a las prostitutas y a sus amigos. Cedió el apartamento y buscó de nuevo a su veterano amigo Eisuke para darle un abrazo final de despedida. Llamó a Antonio y se reunió con él.

Le notificó que aceptaba su propuesta y que viajaría una vez cumpliera con su última *toka* en Tokio, después de arreglar asuntos ante el Departamento de Inmigración de Japón. Su visa estaba vencida, y era obligatorio presentarla ante las autoridades para salir del país. Este trámite implica una reseña dactilar y la correspondiente fotografía, al mejor estilo de las fichas que toman a los delincuentes que son capturados. La reseña no es más que una base de datos que le permite al gobierno japonés llevar un control de quienes han permanecido ilegales en el país. Quien acceda a este requisito no podrá volver a entrar durante los siguientes cinco años. En todo caso, aun cumplido este plazo, el gobierno puede impedir un nuevo ingreso, pues al fin y al cabo es una facultad discrecional suya.

Había otra alternativa: salir con un pasaporte comprado o robado a otro colombiano que recién hubiese ingresado. Es una modalidad delictiva a la que se dedica una banda organizada que tiene entre sus víctimas más apetecidas a los turistas o ciudadanos extranjeros que llegan al país con la ilusión de conseguir una ocupación rentable. No obstante, pese a los temores y las advertencias de sus conocidos, Miguel Ángel se presentó de manera voluntaria. En Tokio, en el edificio de Inmigración se sorprendió por la cantidad de personas que buscaban resolver la misma situación: allí había ciudadanos iraníes, peruanos, colombianos, pakistaníes, hindúes, filipinos, chinos, coreanos y hasta europeos y estadounidenses sin visa.

Después de casi cuatro horas le fue autorizada la salida de Japón. Le aclararon que había cometido un delito y que se hacía merecedor de las drásticas sanciones ya mencionadas. Si intentaba regresar antes de los cinco años, podría ser llevado a prisión.

Entonces programó la que sería su última *toka* de *shirokuro* en Japón. Escogió un teatro donde siempre había sido tratado como una estrella. Recibiría una buena paga, y el evento se promocionó como la despedida del gran Miguel Ángel. El último día el sitio se llenó, y por primera vez el colombiano aceptó ser filmado con una cámara de video. Además de los 600 mil yenes pactados, recibió como regalo la cámara con la que se dejó grabar para la posteridad. La última función terminó a las doce de la noche. Todo el mundo se acercó a felicitarlo y a estrecharle la mano como un gesto de gratitud. Le desearon buena suerte y varios le dieron buenos *chipos*. Los empleados del teatro y la *mama san* mostraron su complacencia y le reiteraron que el local mantendría sus puertas abiertas para él si decidía regresar. Las *talentos* extranjeras que allí trabajaban le expresaron su tristeza, pues se acababa el espectáculo del único *shirokuro* en el que participaban occidentales. Habían pasado dos años y ocho meses desde aquella tarde en que lo intentó por primera vez en el Fukuyama Daichi Theater.

Esa noche no pudo conciliar el sueño. Su cabeza, como una grabadora, devolvía el casete de aquel período que había marcado su vida para siempre. Al día siguiente, un avión de la Japan Airlines lo conduciría primero hasta Dallas, Texas, en un vuelo sin escalas de más de 12 horas. De allí, otro avión lo dejaría en Miami, donde al día siguiente partiría hacia Bogotá en un vuelo de la American Airlines. Un lunes de enero de 1997 volvió a pisar territorio colombiano. Nadie supo de su regreso. Lo esperaban aventuras tan dramáticas, peligrosas y excitantes como las que había protagonizado en Japón. Su matrimonio con la mafia de la Yakuza apenas comenzaba.

Cazador en sus dominios

Se hospedó en Bogotá, en el apartamento de un familiar, a la espera de una llamada de su nuevo jefe.

Antonio se reportó a los cuatro días y le dio las primeras instrucciones: comprar un celular y reclamar una tarjeta débito del City Bank de Japón, que más tarde le haría llegar por correo certificado.

Tres días después la recibió. Pertenecía a una cuenta abierta en Tokio, y estaba registrada a nombre del jefe yakuza: Katzutoshi Takazaki. Según las instrucciones anexas, Miguel Ángel sólo podía usar la clave secreta de la tarjeta cuando Antonio se lo indicara. La cuenta serviría para los gastos logísticos de la misión que le sería encomendada y para que debitara de allí sus honorarios. Los gastos en su mayoría consistían en tiquetes aéreos, pagos y trámites de documentos oficiales, algún dinero extra para comprarles ropa a las reclutadas, y, eventualmente, anticipos en efectivo para las familias de ellas.

Una vez acordado el modus operandi, Miguel Ángel debía comenzar inmediatamente los contactos para conseguir las mujeres que Antonio le pidió que enviara a Tokio. El primer envío sería de trece.

Empezó a buscar las primeras muchachas en Bogotá. Pensó que lo mejor sería acudir a los burdeles más cotizados del norte de la ciudad. El primer fin de semana recorrió uno a uno cerca de diez de los más exclusivos. Utilizó un sistema sencillo: acompañado de un amigo, pedía el licor más costoso para llamar la atención de las prostitutas que estuvieran en el lugar. Luego las analizaba una a una sin que se dieran cuenta. Se inclinaba por las que tuvieran el rostro más bonito y el cuerpo mejor torneado. Llamaba a dos de ellas y, como un cliente cualquiera, les ofrecía licor y les hablaba de temas triviales para ganar su confianza. Les preguntaba por sus familias, sus hijos, su situación social, su estado civil, y hasta por sus estudios académicos. También indagaba sobre los países que conocían o los que quisieran conocer. En ese momento les planteaba la idea de un viaje para trabajar en el exterior.

A las más interesadas las citaba en un restaurante para sostener con ellas una charla más privada y enfocada exclusivamente en un posible plan de viaje. En este momento la propuesta se hacía más concreta y Miguel Ángel les hablaba del Japón. Sin entrar en detalles, les comentaba que se trataba de un trabajo en la prostitución que les generaría muy buenos ingresos económicos. Las minucias de lo que realmente tenían que hacer sólo se las revelaría en el momento de sellar el pacto.

En Bogotá sólo escogió a cuatro. No fue fácil, pues en la capital ya abundaban los comentarios callejeros sobre torturas psicológicas y físicas a las prostitutas extranjeras en Japón y se mencionaban historias de mujeres que terminaban esclavizadas y vendidas como animales a los grandes mafiosos de aquel país. Miguel Ángel descubrió, además, que los prostíbulos exclusivos y costosos no eran los más indicados para conseguir las mujeres que Antonio requería. En estos lugares las mujeres por lo general trabajan a gusto y ganan buen dinero, y no es fácil convencerlas de dejarlo todo para irse a un país tan lejano y sembrado de incógnitas. Intentó buscar en los burdeles de menor categoría, pero tampoco se convenció, debido al nivel un tanto vulgar que caracterizaba a las mujeres de esos sitios, en su mayoría alcohólicas, drogadictas y de malos modales.

Con las cuatro escogidas acordó que en menos de un mes regresaría por ellas. Decidió que lo mejor era buscar en Pereira. Antonio, que ya había viajado a esta ciudad años atrás, manifestó su total acuerdo. El plan de reclutamiento incluía, además, ciudades como Cali, Cartago, Armenia, Manizales y Medellín.

Trasladó sus cosas y objetivos a Pereira. Se instaló en casa de una familia amiga con la intención de pasar desapercibido y no llamar la atención de curiosos y autoridades. Había decidido cambiar de estrategia: no buscaría a sus víctimas en los prostíbulos sino en discotecas. En la zona conocida como La Badea, la ciudad cuenta con sitios de rumba a los que suelen ir mujeres en grupos de cuatro o cinco con intención de conseguir nuevos amigos y pasarla bien. Por esa razón, los hombres también suelen llegar en grupos.

El nuevo tratante empezó a asistir a las discotecas con dos o tres amigos, en aparente plan de rumba. Pasaba gran parte del tiempo analizando a aquellas jóvenes que demostraban comportamientos libertinos y que además se destacaran por su linda figura. Sin saber de sus propósitos, sus amigos invitaban a las muchachas a la mesa. Miguel Ángel, desplegando toda su simpatía, entablaba una amena conversación. Se presentaba como un exitoso hombre de negocios y les insinuaba la posibilidad de viajar al extranjero a ganar dinero, pero se cuidaba de darles pistas claras. Tomaba sus números telefónicos y prometía llamarlas para invitarlas a almorzar, a cenar o simplemente a tomar una cerveza.

En el segundo encuentro, gozando de mayor privacidad, indagaba si estaban interesadas en salir al exterior y les preguntaba qué país preferían. Si las veía animadas, les planteaba directamente la posibilidad de viajar a Japón. Les revelaba que acababa de llegar del Lejano Oriente y que allí tenía nexos con gente que les daba trabajo a las colombianas. Les hablaba de las extraordinarias sumas de dinero que ganaban trabajando en la prostitución. «Es una oportunidad que sólo se presenta una vez en la vida», solía decirles para animarlas. Si aceptaban, les explicaba concretamente de qué se trataba el asunto.

De todas maneras, les aclaraba que era él quien tenía la última palabra, y que la decisión de llevarlas sólo la tomaría después de explicarles con detalles las condiciones laborales. Cuando llegaba a esta etapa, les exponía las diversas modalidades del trabajo en los lugares dedicados al negocio del sexo. Pero también les informaba cuánto dinero podían ganar diariamente. En cuanto a la cantidad de hombres que deberían atender, les exponía sin tapujos cifras que para ellas resultaban alarmantes: entre 35 y 50 en un solo día. Miguel Ángel prefería ser lo más sincero posible. Si se decidían a viajar, quería que supieran bien a lo que iban; no era su propósito escatimarles la posibilidad de que desistieran.

Superada esta etapa, las enteraba de una de las facetas más oscuras del asunto: los costos. Les explicaba que la empresa que representaba estaba dispuesta a correr con los costos del viaje, incluidos los pasajes, los trámites de documentos, los gastos pertinentes de ingreso a Japón, el pago de acompañantes y guías en caso de ser necesario, y las comisiones a los encargados de ubicarlas en los sitios de trabajo. «Es como un préstamo que les hacemos y que ustedes nos van cancelando poco a poco, una vez comiencen a ganar dinero», concluía Miguel Ángel.

Después de hacer una rápida operación con calculadora, les dejaba en claro que estaban hablando de una cifra aproximada a los 35 mil dólares. Sin duda, la suma les sonaba astronómica, pues se trataba de mujeres de recursos económicos limitados, casi siempre desempleadas y con obligaciones familiares. Para atenuar el impacto aducía que la cifra en Japón no era la misma, pues allí todo se maneja en yenes que se convierten a dólares, y el peso colombiano no existe. De cada 1.000 dólares ganados, les decía, sólo debían devolver 400 a la «empresa» como parte de pago. Así, la deuda total podía pagarse en menos de ocho meses.

Quienes aceptaban tales condiciones debían someterse a un último filtro: presentarse desnudas ante Miguel Ángel. Antonio le había recomendado escoger mujeres de piel «limpia», preferiblemente blancas, sin cicatrices, heridas o rastros de cirugías, ni estrías. Era preferible que tuvieran los senos grandes y los pezones de color claro, ojalá rosado. «Así es como les gusta a los japoneses, porque acá las mujeres son muy delgadas, de poco seno y caderas estrechas», le había enfatizado. Miguel Ángel no se conformaba con la descripción física que de sí mismas hacían las postulantes, pues muchas mentían. Él tenía que constatar personalmente si en realidad llenaban las expectativas, y para ello debía ver sus cuerpos desnudos.

Las elegidas viajarían a Tokio en 20 ó 30 días, máximo 45, dependiendo de los trámites, que incluían la alteración y falsificación de documentos.

En una pequeña libreta de apuntes, Miguel Ángel llevaba un directorio de nombres de las entrevistadas, con todos sus datos personales e información adicional sobre sus rasgos físicos más sobresalientes, edad, peso y estatura. Las llamaba religiosamente cada tres días para mantenerlas interesadas y les seguía el rastro para evitar perderlas. Una vez reunido el grupo de trece, con los documentos al día, se contactaba con Antonio para ultimar los detalles del viaje, en especial las rutas y la compra de los tiquetes. Este último detalle se gestionaba a través de una agencia de viajes en Cali que desde tiempo atrás mantenía contactos con el jefe yakuza.

La primera «promoción»

Cuando Miguel Ángel tenía ya casi todo listo para el que sería su primer envío, surgió una inesperada condición de Antonio: «Quiero verlas antes de que viajen», le ordenó telefónicamente desde Japón. Le explicó que la semana siguiente viajaría hasta Quito, Ecuador, y que aprovecharía su visita para ver una a una a las mujeres. No podía ingresar a Colombia porque la justicia lo tenía fichado y andaba tras su pista. Indicios de sus actividades en la trata de blancas con la Yakuza constaban en informes de inteligencia de los organismos de seguridad y la policía sólo esperaba que ingresara al país para detenerlo. Antes de llegar a Ecuador, Antonio haría escala en Perú, donde también vería a un grupo de muchachas que sus contactos en ese país habían seleccionado.

El abrupto cambio de planes obligó a Miguel Ángel a reunir a las mujeres antes de lo previsto. Les pidió que alistaran poca ropa, pues sólo se trataba de un viaje de «reconocimiento». «El jefe las quiere ver personalmente en Ecuador», les dijo. Este primer grupo estaba constituido por chicas de Bogotá, Armenia, Pereira y Cartago. Para no despertar sus temores, les aclaró que sería una especie de paseo al Ecuador, con todos los gastos pagos y hasta con rumba incluida. De todos modos, a ellas les preocupó saber que corrían el riesgo de ser desaprobadas por el jefe japonés.

A finales de marzo partieron por la vía Panamericana en un microbús para quince pasajeros previamente contratado por Miguel Ángel. Invitó a dos parejas de amigos de Armenia y Tuluá, cada una de las cuales viajó en su vehículo particular, para darle más apariencia de paseo al viaje. Con las postulantes acordó que en caso de que fueran requeridos por la policía en la carretera, explicarían que se trataba de un *tour* estudiantil hasta la frontera con Ecuador. En realidad tuvieron pocos inconvenientes, salvo en el paso de la frontera, donde se vieron en la necesidad de sobornar a un agente del DAS, pues cuando llegaron el paso estaba cerrado por protestas de camioneros de la región.

Arribaron a Tulcán el 31 de marzo. Desde allí Miguel Ángel llamó a Antonio al hotel Crowne Plaza de Quito. Planearon encontrarse en la noche del día siguiente en la capital, una vez las muchachas se hubieran instalado en otro hotel. Todo el grupo se acomodó en un hostal situado en la calle 138 con Morlán. Antonio llegó dos horas después y tras encontrarse con Miguel Ángel en su habitación, a quien le pidió que las reuniera en un solo cuarto, les explicó que les haría una última entrevista individual y la consecuente revisión. En seguida saldrían todos a comer a un restaurante, y posteriormente irían a rumbear.

En la discoteca el japonés le confió al colombiano que ya había descartado a varias de las mujeres de su grupo, pero que de todos modos quería verlas en un ambiente de rumba para observar su comportamiento bajo los efectos del licor. Descalificó a tres que, ya ebrias, se tornaron agresivas, problemáticas y vulgares. El mismo Antonio les notificaría su decisión un día antes de que regresaran a Colombia.

El fin de semana se dedicaron a pasear y conocer la ciudad. El japonés le regaló 50 dólares a cada
una para que hicieran compras. Horas antes del regreso, las reunió y les reveló su decisión de descar-
tar a tres. En ese mismo momento les explicó que
el viaje a Japón se haría en tres grupos, dos de tres
y uno de cuatro mujeres, y que saldrían consecuti-
vamente. Las demás instrucciones se las comuni-
caría Miguel Ángel a su debido tiempo.

Miguel Ángel debió esperar una semana para
finiquitar los detalles de la salida del primer grupo. Ninguna de las escogidas tenía problemas de
papeles. Diseñó una primera ruta con base en un
plan previamente coordinado entre Antonio y la
agencia de viajes de Cali. El primer grupo saldría
el 14 de abril vía Bogotá-Frankfurt-Singapur-To-
kio.

Un japonés enviado por Antonio las esperaría
en el aeropuerto de Narita. La orden era llevarlas
directamente a Nagoya, donde el jefe las esperaba.
Este primer grupo estaba conformado por Shirley,
Nubia y Tatiana. Una vez instaladas, otro empleado tenía instrucciones de llamar a Pereira para que
ellas pudieran hablar con Miguel Ángel. Se mostraron muy optimistas y cautivadas por los adelan-

tos tecnológicos que estaban descubriendo en Japón. Miguel Ángel las motivó y les dio ánimos para que comenzaran a trabajar lo más pronto posible. Les aconsejó que descansaran y durmieran bastante para que su cuerpo se adaptara al cambio de horario (la diferencia es de 14 horas).

Según lo planeado, poco después de llegar a su destino las mujeres comenzaron a recibir instrucciones de parte de otras que se encontraban en el mismo lugar, y que, igual que ellas, habían sido llevadas por el jefe japonés. Les organizaron un recorrido que incluía visitas al *guekillo* de la ciudad, a un *omisé*, a un local de *pinkos* y a la calle Lidabashi. Su primer lugar de residencia, mientras se decidía dónde harían su primera *toka*, fue el apartamento de Antonio en Takatsuyi.

En la visita que hicieron a los establecimientos de prostitución, las tres colombianas descubrieron que el mundo al que habían llegado era tan crudo y real como se los había descrito Miguel Ángel. Así se lo hicieron saber esa noche, cuando pudieron llamarlo. Shirley, la más sorprendida y asustada de todas, dijo entre lágrimas que quería regresarse, algo que resultaba improbable.

Antonio le explicó que una vez aceptados los términos del contrato y de pisar suelo japonés, era

imposible devolverse por razones puramente económicas. Le aclaró que la inversión inicial por cada
una de ellas había ascendido a 12 millones de pesos
y que ese dinero no se podía perder. Le reiteró que
ellas sabían a qué iban y le recordó que la situación
económica de sus familias no era la mejor. En tono
enérgico, le advirtió que de ser necesario la Yakuza
usaría la fuerza y la violencia para obligarla a trabajar. Pero el argumento con que logró convencerla fue el que aludía a la situación por la que atrave-
saba el hijo que había dejado en Bogotá. «Muchas
quisieran tener la oportunidad que tú tienes —le
dijo—, y ya que estás allá, intentalo. Así ganas
plata y te evitas problemas».

Tres días después comenzaron a trabajar. Shirley en un *omisé* y Nubia y Tatiana en el teatro de
Tsurumai de Nagoya. Shirley daría problemas a
sus jefes: semanas después escapó con un miembro de la Yakuza de un núcleo distinto al de Antonio. Amparada en la supuesta influencia de su
amante, se rebeló y no quiso pagar más las cuotas
de la deuda. Antonio acudió al jefe del hombre para que le ordenara a Shirley pagar el saldo pendiente; de otro modo no podría quedarse con ella.
Días después el propio amante de la colombiana se

vio obligado a devolverla, no sin antes golpearla brutalmente, en una clara demostración de acatamiento y respeto al poder de Antonio. La joven comprendió que para la Yakuza son más importantes la lealtad y el honor entre sus miembros que los sentimientos que pueda despertar una mujer.

Madonna y las identidades ficticias

Durante los meses siguientes, Miguel Ángel siguió reclutando mujeres en discotecas y sitios de vida nocturna de Pereira, Bogotá, Cali, Medellín, Armenia, Bucaramanga y Cartago. Los primeros envíos se hicieron bajo las mismas circunstancias. Con el tiempo, el nuevo tratante de blancas diseñó otras rutas que incluían Tailandia, Taipei y Hong Kong. Al principio actuó sin mayores inconvenientes, pues las mujeres que enganchaba no tenían problemas legales, hecho que facilitaba y agilizaba los trámites. Pero comenzó a descubrir que el prototipo de mujer reclutada en las discotecas no encajaba del todo con el patrón de exigencias de la Yakuza, cuyos jefes hacían especial énfasis en que debían prevalecer el trato personal, el buen vocabulario y un recatado comportamiento en público. Las muchachas de las discotecas son más dadas a la rumba, al licor y a las drogas.

Reorientó entonces sus objetivos hacia un tipo de mujer más discreta, pero sin descuidar los aspectos social y económico. Este cambio de estrategia lo obligó a escudriñar en empresas públicas, oficinas privadas, centros comerciales e incluso universidades. Esto, sin embargo, implicaba que el contacto fuera más personalizado y directo, es decir, lo obligaba a poner la cara constantemente, algo que resultaba riesgoso. Por eso decidió recurrir a la colaboración de personas de su confianza. En cada una de las ciudades en las que realizaba búsquedas ubicó a hombres y mujeres que se desenvolvían en el mundo de la prostitución reservada, para que le sirvieran de contacto con las posibles candidatas. Ofreció pagarles 300 dólares por cada mujer que le llevaran, con la condición de que sólo entregaría la comisión una vez la candidata estuviera en Japón. De lo contrario, no habría pago.

Después descubriría que varios de esos intermediarios no sólo se ganaban la comisión que él les pagaba, sino que abusaban de la necesidad de las incautas jóvenes para exigirles una cantidad adicional de dinero por los supuestos «buenos oficios» que ellos realizaban para que las escogieran. Ésas eran mentiras: la decisión final siempre era tomada por Miguel Ángel, quien no sólo se fijaba en que fueran atractivas y del gusto de los japoneses, sino que también fuesen capaces de esforzarse por conseguir dinero.

Muchas de las jovencitas engañadas por estos intermediarios se veían obligadas a firmarles letras o pagarés y, en casos extremos, a hipotecar las viviendas de sus padres para pasarles dinero. La posibilidad del nuevo y rentable trabajo llena de ilusión no sólo a las muchachas sino a sus familiares más cercanos. En la decisión de hipotecar una casa para ayudar con los supuestos gastos de viaje exigidos por el intermediario intervienen la mamá o el papá, tíos y allegados. Como las historias con final feliz de las prostitutas que regresan convertidas en millonarias viajan de boca en boca, los familiares de las aspirantes ven este sacrificio como una inversión en un próspero negocio.

Por eso, a Miguel Ángel dejó de parecerle extraño recibir a algunas jóvenes acompañadas de sus propias madres, quienes incluso permanecían presentes mientras él las inspeccionaba desnudas antes de seleccionarlas. La compañía de las madres era algo más que un respaldo: a veces intervenían ante Miguel Ángel para convencerlo de llevar a sus hijas aduciendo insostenibles dificultades económicas o situaciones de ahogo que les hacían temer por la pérdida de sus propiedades a manos de una entidad bancaria.

Descubrió las artimañas de los intermediarios gracias a que una de las escogidas llamó para declinar su participación. Adujo que se había arrepentido por razones sentimentales, pero Miguel Ángel no le creyó, pues era una de las más entusiasmadas y decididas candidatas. Prefirió averiguar personalmente. La misma jovencita terminó por reconocer que no podía viajar porque no había alcanzado a reunir todo el dinero de la comisión que le estaba cobrando su intermediaria en Pereira. Cuando lo supo, Miguel Ángel debió recurrir a la fuerza verbal y física para corregir esta situación, e incluso a dar por terminados sus negocios con algunos de estos individuos. Eliminadas las maniobras ocultas, las únicas prebendas autorizadas eran las que las mujeres voluntariamente quisieran enviar una vez estuvieran trabajando en Japón.

Uno de los intermediarios que más se movían era conocido con el alias de Christian en el ambiente gay de Pereira. Con él se comunicaba Miguel Ángel a través de un *beeper* registrado a nombre de otra persona. Cuando Christian preseleccionaba un grupo, le dejaba un mensaje en clave: «La carne ya está en el horno. Te estoy esperando para almorzar. Papi, llámame». Miguel Ángel le respondía la llamada y acordaban sitio, día y hora para la primera entrevista con las muchachas.

A través de Christian, Miguel Ángel conoció a Madonna, una espigada rubia de ojos verdes y cuerpo voluptuoso. Fue tal la descripción que le hicieron de la joven paisa, que Miguel Ángel se sintió decidido a viajar hasta Villavicencio para contactarla. Trabajaba en una casa de citas hasta las nueve de la noche, y luego en un lugar de *striptease* hasta la madrugada. A todos sus clientes les decía que acababa de cumplir 21 años, pero al verla, Miguel Ángel sospechó que debía tener unos 18. La belleza que le habían descrito era cierta. Su parecido físico con la reina del pop era impresionante, de ahí que se ganara ese nombre artístico en el medio.

Llevaba dos meses trabajando en Villavicencio, gracias a una buena oferta que le había hecho el dueño de un prostíbulo que también la había conocido por intermedio de Christian. Éste mismo le informó a Miguel Ángel que ella siempre había manifestado deseos de viajar a Japón. No lo había hecho antes, pese a varias propuestas, por el temor y la desconfianza que le despertaban las historias sobre las prostitutas que se iban a ese país. Pero Christian le había aclarado que en este caso podía estar tranquila, pues se trataba de gente seria y buena.

Aceptó sin muchas condiciones. Todo parecía perfecto, incluida la belleza de la Madonna paisa, a la que seguramente Antonio no iba a poner ningún reparo. Sin embargo, un inconveniente saltó a la vista: cuando Migue Ángel le preguntó por sus documentos de identidad, respondió visiblemente confundida: «Nunca he sacado papeles, no tengo nada». Era la primera vez que a Miguel Ángel se le presentaba el caso de una candidata sin documentos de ninguna clase, y era evidente que ese hecho ponía en serio peligro su viaje. Así se lo hizo saber. De todas formas, convencido de que se trataba de un excelente «descubrimiento», Miguel Ángel le prometió gestionar todo lo que estuviera a su alcance para solucionar el *impasse* y hacer posible su salida. Acordaron hablar a la semana siguiente, mientras él trataba de superar la dificultad.

Inmediatamente llamó a sus intermediarios para que, en todas las ciudades de su influencia, se pusieran a la tarea de ubicar a un funcionario de la Registraduría dispuesto a colaborar.

De Villavicencio viajó a Ibagué en busca de más mujeres. Recibió entonces la llamada de uno de sus colaboradores de Cali, quien le notificó que en un pequeño pueblo del Valle cercano al lago Calima había un registrador municipal interesado en ayudar a cambio de una buena retribución económica. Inmediatamente se dirigió a buscarlo.

El funcionario le explicó que registrar legalmente a la muchacha era algo muy dispendioso debido a su edad, pues no poseía ninguna constancia oficial de su nacimiento y ni siquiera se sabía dónde se encontraban sus padres. Le pidió 1.500 dólares por todos los trámites. Arreglaron por 1.000, pero el hombre le advirtió que necesitaba 50 más para pagarle al empleado notarial que se encargaría de expedirle el registro civil necesario para obtener la cédula de ciudadanía.

Este documento salió con nombres de unos supuestos progenitores, fecha de nacimiento y otros datos que el registrador previamente le suministró a su amigo de la notaría, y que habían sido obtenidos de una tarjeta dactilar que reposaba en sus archivos y que correspondían a una persona que había solicitado su cédula pero que aún no la había reclamado. La idea era utilizar los datos de una mujer contemporánea de Madonna. Con base en ellos, e incluso en sus huella dactilares, el registrador expidió un certificado provisional, de los mismos que reciben temporalmente quienes solicitan su cédula. Este documento no sirve como identificación en gestiones legales como las exigidas para salir del país; por eso en el reverso el registrador daba fe de que la cédula se encontraba en trámite y que se trataba de una solicitud de duplicado.

Así, Madonna obtuvo un certificado respaldado por una ficha dactilar legal que reposaba en los archivos de la Registraduría del pueblo valluno y que tenía una copia en la Registraduría Nacional, en Bogotá. Al hacerle entrega del documento, el registrador le explicó a Miguel Ángel que sólo podía usarla durante los siguientes 30 días, máximo 60, antes de que la verdadera dueña se presentara a reclamar su cédula.

En el Ministerio de Relaciones Exteriores, Madonna se presentó como Ximena Villalba, de 21 años, y gracias a la constancia del registrador y al registro civil adulterado, en dos horas tuvo en sus manos su pasaporte.

En septiembre de 1997 Madonna salió por el aeropuerto Eldorado de Bogotá en compañía de otras cuatro jóvenes. Después de hacer escala en Frankfurt llegaron a Singapur, donde debieron permanecer 10 días a la espera de que unos agentes de Inmigración que trabajaban en el aeropuerto de Narita fueran reemplazados por unos menos rigurosos en el control de ingreso de colombianas. A su llegada a Tokio, Madonna atrajo de inmediato la atención de Antonio, que quedó impresionado con su belleza excepcional. La convertiría en su amante durante las siguientes cinco noches, antes de ubicarla en un *guekillo*.

El paso de Madonna por el Japón sería fugaz. Terminó adicta a las drogas, y bajo los efectos de éstas sacó a relucir una escondida tendencia a los conflictos que incluso la llevó a agredir a Antonio. Ocurrió una mañana en el apartamento de Takatsuyi, en Nagoya, cuando después de una desenfrenada noche de licor, marihuana, hachís y cocaína con un grupo de iraníes, fue increpada por el jefe yakuza para que modificara su comportamiento. Sin mediar palabra, la rubia respondió atacándolo con una navaja que le clavó en el brazo derecho. Craso error que puso en riesgo su vida a manos de los *shimpiras* que acompañaban al yakuza, y de la que se salvó sólo por la atracción física que el jefe sentía por ella. Pero no se salvó de una expulsión fulminante del país del sol naciente. El propio Antonio se encargó de sacarla. Esperó a que se recuperara de los efectos de la droga que había consumido, y él mismo la llevó hasta la oficina de Inmigración para entregarla y pagar el costo del tiquete. Poco después, Madonna viajaba rumbo a Bogotá.

Triste final para una hermosa jovencita que, a juzgar por sus atributos físicos, parecía tenerlo todo para hacer realidad el «sueño nipón» y regresar convertida en millonaria. Pero volvió como una simple deportada, igual que muchas otras que fracasan en su intento y movidas por la vergüenza no cuentan toda la verdad a sus familias y conocidos y se presentan como víctimas de un engaño, pese a haber permanecido meses y hasta años trabajando y recibiendo dinero en el Japón. Por lo general, se trata de prostitutas que regresan sin un dólar en el bolsillo, pues todas sus ganancias las han gastado en licor, drogas, ropa y vistosas joyas.

Entre los finales tristes también se cuentan aquellos en que las mujeres, luego de amasar considerables fortunas, despilfarran su dinero en Colombia con amantes, en drogas y diversiones nocturnas. Ya sin el encanto que tuvieron en otros tiempos, les es imposible regresar al Japón y enfilan sus nuevos proyectos hacia países de Europa, o en casos más lamentables, hacia prostíbulos de Bogotá, Pereira, Medellín o Cali.

La accidentada historia de Madonna, en especial las dificultades que tuvo para salir de Colombia, le sirvió a Miguel Ángel para descubrir un efectivo sistema para conseguir documentos y cambiar edades y nombres. Gracias a él también extendería sus maniobras hasta países como México y España, e incluso se serviría de él para propiciar matrimonios de nacionales con japoneses.

La fachada se internacionaliza
La historia de Geraldine constituye un caso singular. Su vida era normal: pertenecía a una familia humilde pero unida, tenía un trabajo modesto en la Gobernación de Risaralda y mantenía una relación sentimental estable con un agente de la policía.

Lo que nadie sabía de esta jovencita trigueña de 22 años, de 1,68 de estatura y ojos verdes oscuros, era que vivía fascinada con las historias que Heidi, su mejor amiga, le contaba. Se habían conocido en el bachillerato, pero los vaivenes del destino las habían separado: mientras la primera terminaba una carrera técnica en el Sena de Pereira, la otra alistaba sus maletas para viajar a Japón. Una *manilla* independiente la había contactado para ofrecerle trabajo como prostituta.

Heidi se marchó, tuvo éxito y regresó con mucho dinero. Su situación económica cambió de manera radical, y la pequeña casita en el barrio Cuba donde vivía con su familia se había convertido en un edificio de tres pisos. Geraldine sentía envidia de la suerte de su amiga, especialmente cuando le relataba las historias de sus viajes y la manera fácil y rápida como estaba enriqueciéndose.

Geraldine no aguantó más y le expresó su interés por conocer el fantástico mundo que le pintaba. Estaba decidida a seguir los pasos de Heidi, aunque ésta jamás le dibujó la realidad en toda la dimensión de su crueldad. A Heidi le pareció bien la disposición de su amiga, pero no vio posible el viaje en ese mismo momento porque Geraldine no disponía del dinero necesario para cubrir todos los gastos. Aunque su figura y belleza natural encajaban a la perfección con los requerimientos para ejer-

cer como prostituta en Japón, su viaje implicaba un gran riesgo de perder la inversión, pues los controles de Inmigración eran cada vez más rigurosos en Tokio. Pero atisbó una remota posibilidad. Le dijo que, según se había enterado por unos amigos, en Colombia trabajaba un agente de la Yakuza que se dedicaba a seleccionar y enviar mujeres. Le prometió contactarlo.

Se trataba de Miguel Ángel, que por entonces se encontraba en Medellín. Heidi lo ubicó a través de un conocido de Pereira y lo convenció de que se entrevistara con Geraldine. Tras la cita fue aceptada para la siguiente «promoción». Luego de escuchar los detalles de lo que realmente le esperaba en Japón, se dio cuenta de que su amiga no le había contado ni la mitad de lo que debía hacer en ese país. Miguel Ángel, por ejemplo, le advirtió que le esperaban jornadas en las que tendría que acostarse con treinta o más hombres. Le pidió que lo pensara muy bien, pues al fin y al cabo tenía un empleo estable e incluso contaba con una prometedora relación amorosa. Pero, como si hubiera preparado de antemano la respuesta, contestó: «Los puestos que dan los políticos duran muy poco, y no quiero ser una empleada toda la vida». Aceptó sin poner objeciones.

Miguel Ángel la vio tan animada y decidida que de inmediato planeó su viaje a través de una nueva ruta. Salió vía Lufthansa un domingo de junio hacia Frankfurt, y allí hizo trasbordo para embarcarse a Manila. En la capital filipina permaneció hasta que fue recogida por un enviado japonés, quien tenía instrucciones de llevarla a Nagoya. En este puerto la esperaba Antonio, quien sentía curiosidad después de escuchar los elogiosos comentarios que sobre su belleza le había hecho Miguel Ángel y que vía telefónica le había confirmado el emisario japonés que la escoltó. Pero Inmigración la devolvió sin atender a los lloriqueos de ella y las súplicas de su acompañante. Aunque por entonces el gobierno nipón no exigía visa previa para el ingreso de colombianos, los agentes hicieron uso de una facultad discrecional que les permite rechazar a quienes consideren inconvenientes. Al día siguiente la regresaron en el primer vuelo por la misma ruta. El sello rojo estampado en el pasaporte de Geraldine daba fe de que se la había fichado como rechazada para ingresar a Japón. Cualquier intento que hiciera de entrar con el mismo pasaporte sería tomado como una burla y un irrespeto a las autoridades.

Antonio no se dio por vencido. De inmediato ordenó a Miguel Ángel que buscara la forma de introducir a Geraldine sin poner reparos en el costo. La primera opción que saltó a la vista fue la de convertirla en ciudadana mexicana, alternativa sobre la que ya venían trabajando y que sólo faltaba probar en la práctica. Geraldine sería la primera.

Fue fácil conseguirle visa a través de una agencia de viajes que la tramitó directamente en la embajada mexicana por un valor de 800 dólares. Miguel Ángel viajó con ella a México. Se instalaron en un hotel central del Distrito Federal, muy cerca del teatro de Bellas Artes. En una libreta de apuntes, él llevaba un listado de nombres y teléfonos de personas que estaban dispuestas a ayudarlos.

Un hombre que se desenvolvía en el mundo de los «coyotes» que pasan ilegalmente a inmigrantes a los Estados Unidos por El Hueco, se ofreció para colaborar a un precio que le pareció razonable al traficante colombiano: 900 dólares. El costo incluía la compra de una partida de nacimiento en un pueblito situado cerca de la capital y clases de dos semanas para que adquiriera el acento y aprendiera la jerga, los modismos y hasta el himno nacional mexicano. Mientras el hombre adelantaba sus trámites ilegales para obtener a la mayor brevedad la partida de nacimiento de Geraldine, ésta y su acompañante dedicaron los siguientes días a recorrer los sitios turísticos más llamativos del país azteca. El *tour* incluyó la romántica y preciosa plaza Garibaldi, las pirámides de Michoacán y el palacio de gobierno.

Con el registro de nacimiento en mano, en el cual se le concedía un nuevo nombre, y ya avezada en los modos y expresiones del hablar «manito», la joven pereirana se presentó en la oficina de pasaportes. Tras recibir el suyo, se embarcó hacia Japón. Del Distrito Federal salió hacia Los Ángeles, en los Estados Unidos, y de allí al aeropuerto de Narita, después hacer escala en Hawai. No pasó mucho tiempo antes de que la supuesta turista mexicana fuera recibida por Antonio.

Geraldine trabajaría sin ningún problema en Japón. Durante su estadía, en las pocas veces que llegó a ser requerida por Inmigración, se identificaría como ciudadana mexicana. En los *guekillos*, sin embargo, la conocían como una colombiana más. Dos años después regresó a su país. Miguel Ángel le hizo llegar su pasaporte original que ella le había dado a guardar en México. Salió por Tokio y, de nuevo, se presentó como turista mexicana. Al llegar a Bogotá, se identificó con su pasaporte colombiano.

Miguel Ángel volvió a verla después de su regreso a Pereira. La encontró muy cambiada y un poco arrogante. Él entendió que no había acatado los consejos que le había dado antes de que viajara a Japón, de que la vida de Colombia la dejara en Colombia, y la de Japón, en Japón. Ella le reveló sus planes de volver al país oriental pronto. Y así lo hizo, pero esta vez por sus propios medios y utilizando nuevos documentos con nombres e identificación falsos.

Con el tiempo, Miguel Ángel se valdría de sistemas similares para conseguir pasaportes y documentos de nacionalidad española, italiana y de varios países sudamericanos con los cuales sus *talentos* ingresarían sin problemas y con menos riesgos en Japón.

Sin matrimonio no hay fortuna

El joven Kenji Takahashi había nacido en Hiroshima. Con escasos estudios y asediado por la falta de oportunidades económicas, terminó vinculándose con la Yakuza por intermedio de un amigo con quien frecuentaba los sitios nocturnos de la ciudad. Este último tenía un hermano que hacía las veces de *shimpira* de la mafia. Su nada agradable labor consistía en cobrar impuestos a las prostitutas callejeras.

Takahashi dejó a un lado su ocupación como controlador de tránsito vehicular para enrolarse en la nómina de un *kos* yakuza en calidad de escolta. Su buen desempeño le sirvió para que por recomendación de su jefe fuese removido a un *omisé*, donde se encargaría de transportar a las prostitutas hasta los apartamentos de los clientes.

De 27 años, era alto y delgado y estaba siempre dispuesto a cumplir cualquier orden de sus jefes. Era cruel cuando se lo exigían, pero amable cuando las circunstancias lo requerían. Gozaba de buena reputación entre sus patrones y sobresalía entre los demás *shimpiras* por su facilidad para entablar conversación con sus superiores.

Por su parte, Anny acababa de cumplir 28 años. Había nacido en 1969 en Envigado, primaveral localidad cercana a Medellín. Alta y hermosa, alegre y espontánea, Anny se definía a sí misma como una «rica frustrada» por haber vivido siempre rodeada de lujo y dinero ajenos y por no haber sido nunca

dueña de una fortuna ni haber contado con las facilidades mínimas que le permitieran una independencia definitiva. Todo lo que había alcanzado en
su vida profesional y laboral se lo debía a su tío, un
importante político antioqueño que con su caris-
ma arrollador y el respaldo irrestricto de los más
poderosos jefes tradicionales de la región había alcanzado los máximos honores como alcalde mayor
de la ciudad. El apellido y el respaldo de este hombre le permitieron a Anny acceder a mejores oportunidades de empleo. Así, había conseguido un
buen puesto en el departamento de operadoras de
la EDA, sigla de la empresa de telecomunicaciones
de Antioquia.

Sin ser profesional ni ostentar otro mérito que
ser sobrina del ex alcalde, Anny gozaba de un modesto empleo con cómodo horario y un sueldo que
le permitía solventar sus gastos personales y los de
sus hermanos. Ambiciosa y arriesgada, siempre había soñado con convertirse en la rica de la casa y sacar a su familia de una vez por todas de una inesta-
bilidad económica que se había prolongado por
años y que la acercaba más a la pobreza que a la mo-
destia. Consideraba que tenía mala suerte en el
amor, y eso la amargaba. Sus constantes reveses sen-

timentales, en especial el último, con un abogado, la acercaban cada vez más a las orillas del alcoholismo. Dos y hasta tres veces por semana recurría al licor para buscar una salida al despecho y a las penas del corazón. Claudia, su mejor amiga, era su pañuelo de lágrimas. Y fue también quien la acercó a la Yakuza.

Un jueves, mientras departían en una taberna de la popular calle 70 de Medellín, Claudia le habló de un amigo que conocía a un contacto de la Yakuza encargado de buscar jóvenes hermosas para llevarlas a trabajar en Japón. Claudia le habló de las facilidades del empleo y de las fortunas que casi todas lograban conseguir. «Tú, con ese cuerpo y esas tetas, tienes que aprovechar», la alentó. Así, más con curiosidad que con miedo, se mostró dispuesta e interesada. Claudia prometió llamarla cuando se entrevistara telefónicamente con el hombre de quien le había hablado.

Fue así como conoció a Miguel Ángel en un apartamento del barrio Laureles de Medellín. Aconsejada por su amiga, Anny se vistió lo más sensualmente que pudo para convencer de entrada al tratante. Claudia sabía que las posibilidades de su amiga eran altas. La entrevista duró poco, pues el hombre encontró en ella la más importante virtud: ambición y deseos de obtener dinero con prontitud. En el aspecto físico era imposible ponerle reparos: cuando se quitó la ropa delante de Miguel Ángel, éste estuvo seguro de estar viendo el mejor de los cuerpos que hasta ese momento había tenido enfrente. Tenía las piernas largas, el abdomen plano y limpio de cicatrices, las caderas perfectas, los senos firmes y de buen tamaño, el cabello claro y un rostro latino perfecto. La aprobación fue inmediata. Miguel Ángel procedió a explicarle la parte más complicada con el temor de que su relato la disuadiera.

Como las cosas en Japón cada día se ponían más difíciles para las extranjeras que llegaban a trabajar en la prostitución, Antonio había diseñado nuevos sistemas de ingreso que reducían los riesgos y la inversión. Algunas veces optaba por casar a las postulantes con japoneses corrientes a los que convencía con un buen pago en dólares. Pero esta estrategia había comenzado a fracasar desde que las autoridades de Inmigración, alertadas por los insistentes informes de prensa que hablaban de la ola de extraños y sorpresivos matrimonios de nacionales con foráneas, la habían detectado. Para no violentar el derecho internacional a la libertad de cultos y uniones, las autoridades niponas habían implementado un plan para acabar con las «uniones *express*» con las que la Yakuza burlaba los sistemas de control de ingreso de prostitutas. Consistía en autorizar los matrimonios, pero imponiéndoles a las parejas una restricción de un año para ingresar en el país. Es decir, una vez casadas en cualquier ciudad, las parejas colombojaponesas debían salir de Japón y no podían regresar antes de 12 meses. Así las cosas, para la Yakuza resultaba muy difícil mantener el ardid de los matrimonios, pues con dicho sistema se triplicaban los costos y se reducían en la misma proporción las posibilidades de obtener ganancias. El nuevo plan de Antonio semejaba el movimiento certero y calculado de un ajedrecista antes de «comerse» a la reina: los matrimonios colombojaponeses debían realizarse en Colombia.

Cuando Miguel Ángel le explicó a Anny el proceso al que tendría que someterse para entrar sin problemas en la potencia de Oriente, ella sólo puso una condición: no tendría relaciones sexuales con su futuro esposo. Miguel Ángel no vio problema alguno. Le prometió que le dejaría en claro a Antonio que el marido que le escogieran sabría de esta restricción y debía estar dispuesto a aceptarla. Salvado el superficial *impasse*, Miguel Ángel le explicó que los gastos de la boda correrían por cuenta de ella, por lo que su deuda con la organización se incrementaría: a los 35 mil dólares que le deducirían de lo que ganara debía sumarle 15 mil que Antonio le pagaría al *shimpira* que aceptara ser su esposo. Anny estuvo de acuerdo. Miguel Ángel volvió a hacer cuentas de tiempo y dinero y le demostró que con juicio y dedicación podría cancelar su deuda en un año, o quizás antes.

El sistema era perfecto: Anny asumiría el papel legal de esposa del japonés y tomaría sus apellidos, pero estaría desligada de cualquier obligación conyugal para con él. Una vez en Japón, sería enviada a los sitios que maneja el negocio del placer, y sólo vería a su marido una vez al año, cuando se encontraran en un día y hora fijados para renovar la visa que le permitiera seguir viviendo en Japón. El esposo se comprometía a acudir con ella al Departamento de Inmigración para certificar con la mano en alto que su esposa extranjera era una mujer feliz, que había mostrado buena conducta y una moral a prueba de cualquier examen clerical o civil.

Miguel Ángel le dijo que, entre otras ventajas, el matrimonio con el japonés le permitiría no sólo obtener de manera automática la visa de residencia en ese país, sino también la de los Estados Unidos, pues por un tratado bilateral todo japonés tiene derecho a una visa en la superpotencia.

Kenji y Anny, una pareja feliz

El único amor que unió al *shimpira* Kenji Takahashi y a la paisa Anny fue el que ambos le profesaban al dinero. El japonés sintió amor a primera vista por el millón y medio de yenes que se iba a ganar. Con este incentivo viajó sin mayores trabas a Bogotá a principios de noviembre, y de allí se dirigió a Medellín.

La pareja se conoció una tarde lluviosa en el aeropuerto de Rionegro, donde Anny, nerviosa y acompañada de Miguel Ángel, esperó a su prometido. A ella no le gustó la apariencia física del novio, y a él le encantaron los senos de la novia. La miró con deseo, pero sabía que esta vez no se encontraba en su territorio, donde podía disponer a su antojo de la mujer que deseara. Aquí debía respetar las órdenes de su jefe; no le estaba permitido ningún tipo de presión. Anny le pidió a Miguel Ángel que le explicara de una vez que no tendrían sexo ni antes ni después de la noche nupcial, y que sólo en Japón podría buscarla, pero como un cliente cualquiera. «Si quiere ahora, que pague ya», ratificó la mujer.

Ambos adoptaron la actitud de novios enamorados y felices, y así debieron aparecer durante los siguientes encuentros en actos sociales y ante las autoridades oficiales con las que tramitarían lo pertinente a la insólita unión marital.

Miguel Ángel había previsto todos los detalles del plan. Sabía que se trataba de una misión muy importante para Antonio, pues era el inicio de una habilidosa maniobra de la Yakuza que les abriría la puerta de entrada a muchas prostitutas sudamericanas que estaban viendo frustradas sus esperanzas ante las nuevas exigencias legales del gobierno nipón. Y además, abriría la puerta a más ganancias con menos riesgos. Era una jugada maestra del jefe yakuza, y Miguel Ángel estaba dispuesto a hacer todo lo que estuviera en sus manos para llevarla a feliz término. Tenía todos los documentos listos. Inicialmente, había pensado en un matrimonio civil que sería fácilmente ejecutado gracias a sus contactos en las notarías y registradurías. Luego pensó que para darle mayor validez y cerrarle el paso a cualquier interpretación legal, la unión debía hacerse ante la Iglesia y con todas las de la ley.

De acuerdo con lo previsto, primero se celebró el matrimonio civil, con el cual no hubo ninguna complicación. Sólo se necesitó de dos testigos, la foto de rigor y la firma del notario corrupto. Aunque legalmente instituido, se corría el riesgo de que este acto civil pudiera parecer sospechoso en Japón, dada la facilidad con que el vínculo puede romperse. Por eso resultaba imperioso el matrimonio ante la Iglesia, así implicara actuar de manera más meticulosa y con mayor rigor.

En Envigado, el municipio donde había nacido y vivía la novia, fue fácil ubicar a un viejo cura de una escondida parroquia que los casó sin poner mayores trabas. Quinientos dólares fueron suficientes para que el sacerdote agilizara el trámite y los novios no tuvieran que someterse a los engorrosos requisitos que imponen las leyes canónicas ni se les exigiera el cursillo prematrimonial que dura dos días. Miguel Ángel se encargó de todo. Hasta consiguió los padrinos de boda, el fotógrafo y los pajecitos, y gastó una buena suma de dinero para pagar un sitio adecuado en un exclusivo sector de Envigado. Hasta publicó un aviso en la página social de un periódico regional para darle mayor credibilidad al acontecimiento.

Los invitados fueron reales: amigos de la novia, familiares, vecinos del barrio, algunos compañeros del colegio y curiosos que no quisieron perderse el histórico suceso de ver a una paisa contrayendo nupcias con un incógnito japonés. Un 15 de noviembre, a las seis y quince de la tarde, se celebró la boda más famosa del barrio Alcalá de Envigado. La novia lucía radiante con su vestido blanco y el novio se veía muy sobrio con el tradicional smoking negro. A la pregunta decisiva del cura respondieron «Sí» sin pensarlo dos veces. Nadie se opuso a la unión. Él la besó y salieron felices bajo de una lluvia de arroz y de vivas por la felicidad eterna y el amor inmortal.

Qué irónico sentía Anny aquel momento. Siempre quiso salir por la puerta de una iglesia de la mano del hombre de su vida, vestida de blanco y feliz. Ese día lo estaba haciendo, pero no como sus padres lo hubieran querido. «Al menos en algo le cumplí al viejo», le dijo a su amiga Claudia cuando se acercó a abrazarla, refiriéndose a su papá, un modesto industrial que había sido secuestrado y permanecía en manos de la guerrilla.

Anny y su esposo viajaron a disfrutar de una supuesta luna de miel. En realidad permanecieron en el hotel Séptima Avenida de Bogotá, ciudad donde se dedicaron a tramitar la visa ante la embajada de Japón, y otros documentos en el Ministerio de Relaciones Exteriores. Un mes después viajarían a Nagoya y allí, en el mismo aeropuerto, Anny se despediría de su fugaz esposo.

Fue recogida por un enviado de Antonio y llevada a Osaka, donde su *manilla* la ubicó en una casa transitoria antes de que empezara a instruirse en los detalles de su nuevo trabajo. Un año y dos meses más tarde pagaría el total de su deuda y, ya libre, obtendría el divorcio. Debió pagarle algo más de dinero a Kenji, pues el plazo previsto para que se separaran era de tres años más. Poco después conocería a Jorge Sushima, un *niseie* peruano, es decir, el hijo de una prostituta peruana y un japonés. Con él se casaría por segunda vez, pero esta vez por amor de verdad. Hoy sigue viviendo en Japón, y ya obtuvo su residencia legal gracias a haber pasado cinco años de vida marital con un japonés.

Métodos expeditos de selección
De manera vertiginosa, el número de mujeres decididas a viajar comenzó a crecer. Los intermedia-

rios de Miguel Ángel ya no le hablaban de una o dos jovencitas, sino de grupos que oscilaban entre cinco y diez. Esto lo obligó a rediseñar sus estrategias y planificar su tiempo. El radio de acción continuaba conformado por Pereira, Cartago, Cali, Medellín, Bogotá y Armenia. Miguel Ángel dio instrucciones a sus intermediarios para que sólo lo llamaran cuando tuvieran un número considerable de aspirantes listas para ser observadas y entrevistadas. Anteriormente acostumbraba viajar para ver a una o dos, pero ante el incremento de solicitudes, sus colaboradores se vieron en la necesidad de agrupar a las muchachas en casas para que Miguel Ángel las conociera. Una vez reunido el grupo, lo llamaban a su celular y él viajaba desde donde estuviera en ese momento.

La idea era mirarlas, entrevistarlas y seleccionarlas, y regresar de inmediato para no despertar sospechas. Como medida de prevención, generalmente las hacía esperar una o dos horas, tiempo durante el cual uno de sus amigos inspeccionaba el terreno y le advertía sobre la posible presencia de maridos celosos, novios enfurecidos o padres alarmados. Sólo después de confirmar que no había peligro, se aparecía. En varias oportunidades encontró grupos hasta de veinticinco jovencitas esperándolo, varias de ellas acompañadas de madres y tías que llegaban al lugar con la disculpa de prestarle apoyo moral a sus familiares.

A raíz del incremento de aspirantes, Miguel Ángel y sus intermediarios decidieron darle un nombre a esta etapa del trabajo: *casting*. Y es que en realidad se trataba de un *casting* similar al que se realiza en la televisión o el cine para escoger a las mejores postulantes para un programa o una película. La primera selección la hacía Miguel Ángel a simple vista. Bastaba un rápido recorrido visual sobre el grupo para determinar cuáles eran las primeras escogidas. Fijaba su interés en el rostro, el color de ojos, el tamaño de los senos y el buen cuidado del cabello. Las preseleccionadas eran llevadas a una habitación, y las descalificadas a otra. Miguel Ángel se ubicaba en un pequeño cuarto, desde donde llamaba una a una a las del primer grupo. Libreta en mano, tomaba sus datos más generales: estatura, peso, medidas, talla de brasier; número de hijos, si los tenían; dirección y teléfono; nombres de los padres; países que conocían y las razones por las que querían ir a Japón. Al llegar a este punto insistía en preguntarles si tenían algún conocimiento de lo que deberían hacer cuando llegaran al país del Lejano Oriente. Finalmente les pedía que posaran desnudas para él. En esta inspección, aparte de los evidentes atractivos y perfecciones físicos tenía en cuenta ciertos detalles que respondían a ciertas creencias japonesas: según la forma de las manos, la ubicación de lunares en las orejas o en la boca, se puede determinar el grado de suerte de una mujer para ganar dinero, si es generosa o avara, e incluso si es ardiente o frígida. Tenía claro que la belleza no es la única virtud apetecida. Aplicaba el viejo adagio según el cual la suerte de la fea, la bonita la desea.

Teniéndolas desnudas ante sí podía comprobar si la información que le daban era cierta o falsa. En algunos casos descubría senos caídos, celulitis, cicatrices, estrías o señales de cirugías que hacían imposible la elección. En un *casting* incluso se infiltró un travesti, al que sólo descubrió cuando, a regañadientes, aceptó desvestirse. En promedio, de veinticinco aspirantes sólo pasaban la prueba diez o doce. De éstas, apenas cinco resultaban escogidas para el viaje. A los intermediarios se les pagaban 300 dólares por cada una de estas muchachas, pero una vez estuvieran en Japón.

Una vez listo un grupo de cinco, las muchachas debían esperar unos días para que les fuese reconfirmada su elección. Miguel Ángel las citaba en un sitio diferente. Entonces les informaba los detalles y especificaciones que antes había callado: las plazas en donde trabajarían, las modalidades del oficio, las tarifas por cliente, la cantidad de éstos que podían atenderse por día y el valor del contrato por concepto de viaje, ingreso al país, gastos de estadía y la inmediata ubicación en los lugares donde se prostituirían. Los contratos siempre se hacían verbalmente y ascendían a 35 mil dólares, suma que podía incrementarse en unos 5.000 si era necesario pagar por documentos, gestionar cambio de nacionalidad o contratar abogados.

Cuando el envío debía hacerse a través de países tan estrictos como España, era imprescindible contratar abogados expertos en el tema de inmigración para evitar que las viajeras fueran devueltas. Una vez en territorio ibérico, contactos de la Yakuza hacían lo pertinente para convertirlas en ciudadanas españolas. Con este requisito cumplido, no tenían problemas para dirigirse a cualquiera de las ciudades japonesas.

Antes del viaje, Miguel Ángel les hacía más aclaraciones sobre el contrato. Reiteraba, hasta que les quedara bien claro, que del dinero que recibieran a diario debían abonar el treinta por ciento a Antonio. El resto podían considerarlo como ganancia.

Para Miguel Ángel era de vital importancia que las *talentos* que él enviaba se convirtieran en las preferidas de la clientela, sin importar que no fueran físicamente perfectas. No obstante, tenía claro que el hombre japonés prefiere a aquellas que tengan la menor cantidad posible de defectos. Cumplidos estos requisitos, quedaba tranquilo y abrigaba fundadas esperanzas de que sus muchachas les ganarían la clientela a las de los otros *manillas*. Si así ocurría, serían quienes más pronto pagarían su deuda.

Miguel Ángel sospechaba que los agentes de Inmigración se hacían los de la vista gorda con las más atractivas, pues les ponían menos dificultades para ingresar. Varias de ellas rumoraban que entre sus «visitantes» figuraban agentes de Inmigración a quienes habían visto en el aeropuerto el día en que arribaron.

El *casting* resultó ser el sistema más rápido y práctico para hacer la selección. En promedio, Miguel Ángel asistía cada mes a uno en alguna de las ciudades donde sus contactos se movían. Así podía garantizar las «remesas» que periódicamente le solicitaba Antonio.

Hermanas de sangre ajena

Los matrimonios estaban dando muy buenos resultados. Todos los «novios» que por obra y gracia del dinero se habían convertido en «felices esposos» habían ingresado a Japón sin mayores obstáculos. El inquieto Antonio quiso sacarle más jugo a esta ingeniosa modalidad. Descubrió que las normas legales de su país permiten que los residentes japoneses lleven a vivir con ellos a familiares cercanos —padres, hermanos y primos— que residan en otros países. En apego a esta norma, el jefe yakuza le pidió a Miguel Ángel que le mandara a supuestas familiares de las colombianas que ya tenían visa de residencia en Japón.

La tarea era sencilla, pues Miguel Ángel ya tenía contactos en varias registradurías municipales. Debía falsificar documentos en que constara que las nuevas viajeras eran familiares de otras colombianas residentes en Japón. Como en el caso de Madonna, el registrador le facilitaba registros civiles y constancias temporales de cédulas en trámite con los apellidos que se necesitaran. Con estos documentos, las aspirantes sacaban su pasaporte. Un paquete con todos estos papeles era enviado a Japón para que las supuestas hermanas o primas tramitaran el pedido ante Inmigración. Aprobadas las solicitudes, el gobierno japonés le ordenaba a su embajada en Colombia que concediera las visas pertinentes.

Sammy, una joven de apenas 18 años, fue quien inauguró este sistema. Nacida en Anserma, departamento de Caldas, había decidido convertirse en prostituta por consejos de una tía que vivía en Pereira, varias de cuyas sobrinas llevaban años ejerciendo este oficio en el país oriental. Por recomendaciones expresas de Antonio, Miguel Ángel debía ubicar a la jovencita y arreglar su viaje a Japón haciéndola aparecer como hermana de Anny, la muchacha de Envigado que meses atrás había sido desposada con un *shimpira*.

Cuando Miguel Ángel llegó a la casa de la tía de Sammy, las dos mujeres lo esperaban junto con una prima que casualmente acababa de llegar de Japón. Miguel Ángel descubrió en la pared de la sala la fotografía de otra hermosa chica, a quien de inmediato reconoció. Era una cotizada actriz y modelo de la televisión colombiana, de quien se decía que tres años atrás también había estado en Japón trabajando en *guekillos* y *omisés*. Después descubriría que otras hermanas de la actriz también habían viajado y regresado con algún dinero ahorrado.

La entrevista con Sammy no duró mucho, pues sus primas ya la habían puesto al tanto de todo lo que tenía que hacer para ganar dinero. Sólo faltaba que aprobara el *casting*. Trigueña y de cuerpo esbelto, Sammy pasó rápidamente la prueba. Miguel Ángel le tramitó sus nuevos documentos, con el mismo apellido de Anny, quien en adelante sería su falsa hermana. Le sacaron varias fotos que fueron anexadas a los papeles que serían enviados al Departamento de Inmigración japonés. En menos de un mes llegó la autorización a la embajada en Bogotá. Sammy se presentó personalmente y reclamó su visa. Su destino era Osaka. Miguel Ángel la acompañó hasta el aeropuerto Eldorado. Ella estaba feliz, y así se lo hizo saber antes de atravesar la última puerta que la conduciría a las oficinas de Migración. «Voy a conocer a mi hermana. Hermana de sangre ajena», le dijo, y caminó hasta desaparecer entre la fila de pasajeros.

En Osaka fue recibida por Anny y su esposo nominal. La reconocieron gracias a las fotos que habían recibido con los documentos. Los agentes de Inmigración fueron testigos de un encuentro muy emotivo, con abrazos, besos y hasta lágrimas, tal como lo había previsto el libreto diseñado por

Miguel Ángel. Todos estaban felices, pero en realidad no por el encuentro de las «hermanas» sino por el éxito de esta nueva estrategia.

Sammy sería enviada a Nagoya ese mismo día. Su supuesta hermana se encargó de entrenarla en las lides de la prostitución en una nueva casa de Antonio ubicada en la calle Chikusaku Imaike.

El imperio se derrumba

Antonio era intocable, o al menos eso parecía. Su inteligencia, sagacidad y experiencia en el negocio de la trata de mujeres, sumadas al abundante dinero que manejaba, le permitían entrar y salir de casi cualquier país sin mayores dificultades. Colombia era una excepción. Hacía tiempo que no podía ingresar al país por temor a ser capturado, pero eso no le impedía mantener desde Japón un control absoluto de sus negocios en este país. Sin estar presente de cuerpo, se podría decir que en Colombia se movía como pez en el agua. Y no sólo gracias a Miguel Ángel, sino a muchos contactos que 15 años atrás había comenzado a cultivar en diversas partes del país. Agencias de viajes en las principales capitales y gente del ambiente nocturno se habían convertido en sus fuentes de información.

Pero sus nexos con el país andino también eran familiares: su esposa, de quien aprendió a la perfección el idioma y las costumbres gastronómicas de la región, era pereirana. Por momentos se le escapaban expresiones tan criollas que, si no lo hubieran delatado sus ojos rasgados, cualquiera habría pensado que se trataba de un paisano corriente. Aveces llevaba sombrero tipo aguadeño y hasta un poncho doblado sobre el hombro, a la usanza antioqueña. Aprendió tanto del país y de sus costumbres que pronto descubrió que aquí, con dinero, todo era posible.

Siempre desconfió de los colombianos. Con excepción de Miguel Ángel, a nadie le confiaba un dólar, un trámite o la solución de un problema. Solía decir que los colombianos no conocen el valor de la lealtad y el honor, y se jactaba de pertenecer a la Yakuza, organización en la que, según él, estas virtudes se precian por encima de todo. Fue él quien le enseñó a Miguel Ángel el significado de la palabra yakuza: «Sin valor alguno».

El colombiano tenía muy claro lo que significaba cumplir con las normas de la organización y cuáles eran los alcances de la severidad y la disciplina yakuza. Por eso, procuraba mostrarse de acuerdo con las disposiciones y órdenes de su jefe, y pocas veces se atrevió a objetar alguna de sus determinaciones. Si de algo estuvo convencido siempre fue de que no podía traicionar la confianza de su superior.

Pero la traición llegaría por el lado menos sospechado. Nakamura era el empleado de mayor confianza de Antonio. Se encargaba de controlar todo el negocio de las mujeres dentro y fuera de Japón, y de entregar el dinero para pagos y servicios. Era, prácticamente, el único hombre que le hablaba al oído.

Miguel Ángel llegó a conocerlo muy bien. Cuando este japonés viajaba a Colombia, Miguel Ángel lo guiaba y acompañaba a todas partes, pero lo hacía más por obedecer las órdenes de Antonio que porque le naciera. Era una relación de mútua hipocresía. De alguna manera, eran rivales dentro del organigrama, pero se respetaban.

Nakamura sobresalía por la crueldad con que trataba a las colombianas. Y fue precisamente por un arrebato de sus violentos instintos que comenzó la caída de su jefe. El hecho es que una tarde, a bordo de un automóvil que transitaba por las calles de Tokio, protagonizó una fuerte discusión con una prostituta, a quien golpeó inclementemente. La víctima narraría después que el maleante la arrojó del vehículo en marcha, por lo que sufrió graves heridas en la cabeza. El episodio llegó a conocimiento de las autoridades, que ante las denuncias de la víctima procedieron a capturar a Nakamura. Lo interrogaron sobre las razones que lo llevaron a golpear a la colombiana, quien de antemano había contado a la policía que el hombre trabajaba en el negocio de la trata de blancas. Nakamura reveló que era un simple empleado de Katzutoshi Takazaki, un mafioso mejor conocido por el alias de *Antonio*.

La policía no tardó mucho en poner tras las rejas al jefe yakuza. De hecho, se presentó voluntariamente ante el requerimiento que le hicieron. Antes de someterse, arregló todas sus cosas y dejó a cargo del negocio a un paisano suyo conocido con el alias de *Miguel*. El impacto de esta traición debida a quien consideraba su mejor aliado lo postró en cama durante varios meses. El estrés y la amargura le produjeron una parálisis que afectó la mitad de su cuerpo. Además, casi pierde toda su fortuna en abogados y en el pago de multas por los delitos que le atribuyeron. Fue condenado y recobró la libertad seis meses después gracias al pago de una millonaria fianza, y bajo la promesa de que nunca más volvería a incurrir en la trata de blancas. Corren rumores de que actualmente maneja un taxi en las calles de Osaka.

La caída de Antonio fue el primer gran golpe que recibió la mafia japonesa dedicada a traficar con prostitutas extranjeras. Con su captura, los grandes jefes yakuzas, entre ellos el enigmático Hanamoto, se interesarían en buscar un buen reemplazo para manejar este negocio. Este jefe, considerado uno de los más fuertes y respetados de Tokio, dejaría esta responsabilidad en manos de un joven subalterno de nombre Koichi Hagiwara, también conocido con el alias de *Sony*. Además de dominar casi a la perfección el idioma español, Sony sobresalía por sus dotes de tirano y dictador. Le bastaron unos pocos meses para convertirse en el nuevo capo de la prostitución en todo Japón. Sus tentáculos, al igual que los de su antecesor, también llegarían a Colombia.

Pero a mediados de diciembre de 2002 su fugaz reinado terminó. Fue capturado por la policía el 17 de ese mes, luego de que unas semanas atrás cayeran sus dos *shimpiras* de mayor confianza: Hidetoshi Toza y Kimiyoshi Kato, este último conocido

con el alias de *Tony*. Está sindicado de comerciali-
zar con más de cuatrocientas mujeres desde 1999
hasta el día de su captura. Las autoridades creen que
su detención permitirá llegar hasta los grandes jefes de la Yakuza dedicados al tráfico internacional
de mujeres.

Koichi Hagiwara no era un nombre ni un hombre desconocido para Miguel Ángel. Lo había visto
a principios de 1998 en el Aeropuerto Eldorado de
Bogotá. Fue un encuentro casual, cuando Miguel
Ángel regresaba de Medellín, días después de haber concertado el matrimonio católico de la joven
Anny con el japonés. La idea era realizar en Bogotá
los trámites para la visa de la recién casada con mi-
ras a agilizar su envío al Japón. Aquella tarde Miguel Ángel llegó acompañado de Anny y Kemjy,
su esposo; y de alias *Miguel*, hombre de confianza
y lugarteniente japonés de Antonio. Mientras ca-
minaban por los largos pasillos del terminal aéreo
en busca de la puerta de salida, Miguel Ángel descubrió entre la multitud a un extraño japonés que
caminaba apresurado hacia el segundo piso. Por la
manera de caminar y el vestuario que llevaba, sospechó que se trataba de un *shimpira* o un miembro
de la Yakuza. A su lado, tratando de seguirle el pa-

so, iba una joven rubia. Miguel Ángel no aguantó la incertidumbre y advirtió del extraño personaje a alias *Miguel*.

—¿Ese tipo es un *shimpira* o un yakuza? —le preguntó señalándolo con el dedo.

Miguel le dio la razón:

—Sí, claro, es Koichi. Trabaja para Hanamoto.

Le reveló que era un miembro de la Yakuza recientemente asignado a la tarea de reclutar mujeres en Colombia. Su alias era *Sony*. Según supo más tarde, dicho individuo era el nuevo enlace de la mafia japonesa en Colombia, pero a servicio de un jefe que no era Antonio. Divisándolo a pocos metros, a Miguel Ángel le llamó la atención el peculiar ritmo de caminar del mafioso. Tenía un paso decidido y su actitud era desafiante y retadora, al mejor estilo de los *shimpiras*. Vestía un jean de color azul desgastado, botas vaqueras, camisa clara y chaqueta de piloto. Se advertía que acababa de teñir el color de su pelo: el negro natural había cedido a un rubio subido. Miguel Ángel tuvo la impresión de que Sony había detectado la presencia de los otros japoneses. A eso atribuyó que de pronto ocultara la parte superior de su rostro con unos lentes grandes y oscuros. Por precaución, los japoneses al servicio de la Yakuza siempre llevan a mano gafas de ese estilo, cuyo objeto, más que protegerse de los rayos solares, es evitar que sus ojos rasgados los delaten. La clandestinidad que les ofrece la oscuridad de los lentes también les facilita vigilar con discreción a quienes consideren sospechosos.

Fue un encuentro fugaz, pero duró lo suficiente para que Miguel Ángel entendiera que la mafia japonesa no sólo operaba a través de Antonio. Sus tentáculos se extendían a diario por todo el mundo, y una prueba de ello era el dominio que demostraba tener en Colombia. Fue la última vez que vio a Sony. Con posterioridad, a partir de datos obtenidos en Pereira, Cali y Cartago, Miguel Ángel se enteraría de que Sony llevaba varios días en el país reclutando mujeres.

Volvió a oír de él años más tarde, cuando fue capturado y llevado a juicio por trata internacional de blancas, sindicado de haber ingresado a Japón más de cuatrocientas mujeres de diferentes países, en su mayoría colombianas. Pero, al igual que Antonio, Sony se benefició de la ley japonesa, demasiado blanda cuando se trata de castigar este tipo de delitos. Él no podría ser condenado a más de cuatro años de prisión, y la única sanción fuerte que se le impondría sería el pago de una millonaria fianza. Para las autoridades niponas, el delito de evasión de impuestos es más atroz que el de la prostitución de indefensas e incautas mujeres.

El juicio contra Sony comenzaría a principios de marzo de 2003, pero la falta de un testigo clave en su contra estuvo a punto de permitir su libertad. En un intento desesperado por conseguir testimonios de mujeres que hubiesen sido sus víctimas, la justicia de Japón pospuso la audiencia para un mes más tarde. La aparición de una testigo parecía tan imposible como la captura de un gran jefe yakuza. El temor a una golpiza, al secuestro de un familiar en Colombia, o el miedo a la misma muerte en la habitación de un pequeño hotel de Tokio, pesan más que la valentía para delatar.

De todas formas, la captura de Sony, aunque importante, no supone el fin de la mafia dedicada a prostituir mujeres. Sin duda, otros miembros de la esta mafia oriental esperan ser llamados para reemplazar al temible Sony, el hombre del caminado amenazante.

El final de la «promoción»

La noticia de la caída de Antonio derrumbó, como castillo de naipes, la estructura de trabajo que Miguel Ángel había montado en Colombia. Las promociones de Antonio terminaron. De su gestión sólo quedaría un recuerdo casi convertido en mito entre las prostitutas colombianas que hoy siguen en Japón y entre las que han regresado convencidas de que nunca volverán a pisar suelo nipón.

Miguel Ángel dejó de ejercer como *manilla*. En pocos meses derrochó toda la fortuna que había logrado acumular durante esos seis años, y su vida personal entró en una crisis de la que casi no puede recuperarse. Se casó con una joven mujer que había conocido en Oriente, cuando emergía como el rey latino del *shirokuro*. Se dice que abandonó el país, pero sus secretos siguen siendo la única fuente de información que permite conocer por dentro la temible mafia japonesa de la trata de blancas, la Yakuza.

Este libro se terminó
de imprimir en los talleres gráficos
de Editorial Nomos S.A.,
en el mes de enero de 2005,
en Bogotá, Colombia.